wszyscy
mężczyźni
mojego kota

Karolina
Macios

wszyscy
mężczyźni
mojego kota

WYDAWNICTWO ZNAK • KRAKÓW 2008

Projekt okładki
Katarzyna Borkowska

Fotografia na pierwszej stronie okładki
© Neil Guegan/Zefa/Corbis
© Getty Images/Flash Press Media

Fotografia autorki na czwartej stronie okładki
Sylwia Kowalczyk/Simon Crofts
www.sylwiakowalczyk.art.pl
www.croftsphoto.com

Opieka redakcyjna
Małgorzata Szczurek

Adiustacja
Urszula Horecka

Korekta
Barbara Gąsiorowska
Kamila Zimnicka-Warchoł

Projekt typograficzny
Irena Jagocha

Łamanie
Ryszard Baster

ISBN 978-83-240-0995-4

 Zamówienia: Dział Handlowy, 30-105 Kraków, ul. Kościuszki 37
Bezpłatna infolinia: 0800-130-082
Zapraszamy do naszej księgarni internetowej: www.znak.com.pl

Poczułam na ramieniu czyjąś dłoń. Drgnęłam przestraszona. Wciąż nie mogę się przyzwyczaić do tego, że w cywilizowanych miejscach, gdzie głośna muzyka zakłóca normalne komunikowanie się, podobne gesty są jedynym sposobem na zwrócenie czyjejś uwagi.

– Cześć, kochanie! Co tu robisz sama? Taki miły sobotni wieczór, tak dobrze zapowiadająca się noc, całe życie przed tobą, a ty siedzisz sama przy barze?

Znowu to samo. Wystarczy, że kobieta przysiądzie choć na chwilę, nawet nie zdąży wyjąć papierosów z torebki, a już...

– Po pierwsze, nie jestem sama, po drugie, to nie twój interes, co tu robię sama, po trzecie, to właśnie przestał być miły wieczór, po czwarte, noc również nie będzie miła, po piąte, być może po wyjściu z tej knajpy potrąci mnie samochód i zginę na miejscu albo po tygodniu odłączą mnie od aparatury podtrzymującej życie.

Nie byłam miła, ale kto powiedział, że mam być miła dla lesbijek?

– OK, rozumiem, nie jesteś w nastroju, wycofuję się, ale...

Szkoda. – Uśmiechnęła się do mnie czarująco, chociaż dłoń

na moim ramieniu przytrzymała nieco dłużej, niż powinna. Rozejrzała się po zadymionej sali zapewne w poszukiwaniu samotnej, atrakcyjnej... Hola, popadam w schematy, w zupełności wystarczy, że samotnej. To zazwyczaj wystarcza. Gdyby tylko faceci byli choć w połowie tak mili i komunikatywni jak lesbijki... Nie wiem, czy życie stałoby się prostsze, ale przynajmniej bardziej przyjazne samotnym, atrakcyjnym (nie mogę się powstrzymać) trzydziestoparolatkom.

Na szczęście zjawiła się Anka. A raczej wbiegła, spóźniona jak zwykle, zdyszana jak zwykle, nokautując już od drzwi wszystkich stających jej na drodze zbyt kanciastą torebką, jak zwykle zresztą.

– Zanim powiesz, że jak zwykle się spóźniłam, zanim powiesz cokolwiek, muszę zamówić sobie drinka, więc siedź tu dalej i milcz, dopóki nie wrócę. – I zanurkowała za ladę w poszukiwaniu barmanki. Zapaliłam więc spokojnie papierosa, wyłączyłam telefon, na wypadek gdyby komuś w redakcji przyszło do głowy dzwonić do mnie po godzinach mojej pracy, i położyłam torbę pod nogami. Zbyt dobrze już znam knajpy w tym mieście i ich stałych bywalców, żeby nie zabezpieczać toreb i kieszeni przed nagłym a niespodziewanym opustoszeniem. Znana mi doskonale facjata gwałtownie skręciła na mój widok i pospiesznie opuściła lokal. To mój były sąsiad z epoki kiedy mieszkałam jeszcze na placu Wolnica, znany już chyba niemal wszystkim, przynajmniej oprócz turystów, eksplorator knajp i zdobywca zawartości cudzych kieszeni, rzadziej co prawda torebek, ale... A nuż się przekwalifikował? Wolałam nie ryzykować. Cóż, najwyraźniej on też. Nasze ostatnie spotkanie nie było dla niego szczególnie radosne. Późnym wieczorem w Singerze, no dobrze, był to raczej wczesny ranek, ale nie czepiajmy się szczegółów, gdzie uskuteczniałam ze znajomymi znieczulanie na rzeczywistość, próbował zwędzić mi aparat. Znieczulenie na świat przeszło mi momentalnie, kiedy tylko ujrzałam futerał dziwnie poruszający się na krześle. Zajrzałam znienacka pod stół, a raczej pod maszynę do szycia służącą za stół, i ujrzałam wlepione w siebie oczy sąsiada, który jakby od niechcenia, klęcząc sobie w cieniu krzesła, niewinnie przyciągał do siebie mój aparat. Jestem naprawdę spokojną osobą i rzadko się denerwuję, ale tym razem nie skończyło się na groźnym pokiwaniu palcem. To był mój aparat fotograficzny! Może i niewart fortuny, ale zawsze to moje narzędzie pracy. Cóż, sąsiad skończył z podbitym okiem, na szczęście barman był tak miły, że poświadczył policjantom, że gość zupełnie sam wpadł na moją podręczną damską torebkę, w której zupełnie przypadkiem miałam ciężki i niezniszczalny obiektyw. Niestety, zaraz potem grzecznie wyprosił nas z knajpy. Więcej tam nie pójdę. Mam traumatyczne przeżycia.

– Jestem. – Sądząc po gabarytach szklanki, to musiało być potrójne martini, najwyraźniej Anka ma niedostatek alkoholu we krwi.

– I bardzo dobrze. Nie każ mi następnym razem czekać na siebie w tym miejscu dłużej niż dziesięć minut, bo już mi się wizytówki nie mieszczą w portfelu. Dzisiaj dostałam ich, poczekaj, niech zerknę... – Oczywiście, nie dostałam dziś ani jednej. OK, nigdy nie dostałam żadnej wizytówki od zaczepiającej mnie kobiety w lesbijskiej knajpie. No dobra, od faceta też nie. Najwyraźniej zaczepiają mnie tylko ci, którzy nie dochapali się jeszcze w pracy stanowiska wartego wyeksponowania na wizytówce. Ale Anka nie musi o tym od razu wiedzieć.

– Przepraszam i obiecuję, że więcej to się nie zdarzy. – Drugą część zdania wymamrotała niewyraźnie, przysysając się do martini. – Na tym właśnie polega urok tej knajpy, kiedy masz ochotę na porządnego drinka, dostajesz go w porządnej szklance, a nie w koktajlówce z zastawy dziecięcej.

Nie sądzę, żeby w plastikowych zastawach dla dziewczynek były koktajlówki, ale nie będę wyprowadzać Anki z błędu. Poczekam z tym do momentu, kiedy sama zacznie przebąkiwać o dziecku. Spojrzała z wyrzutem na papierosa, którego właśnie dopalałam:

– Kiedy wreszcie rzucisz te fajki? Fatalny nałóg.

Dobrze wie, że nie jestem nałogowym palaczem, palę, bo lubię, palę, bo chcę, palę, bo sprawia mi to przyjemność, palę, bo coraz więcej ludzi rzuca palenie.

– Kiedy spotkam idealnego faceta.

– Dziewczyno, już czas, żeby ktoś tobą potrząsnął! Nie ma idealnych facetów, są jedynie idealne kobiety, szukasz nie tego, kogo trzeba.

– Jedyną idealną kobietą, jaką znam, jesteś ty, o czym doskonale wiesz, i za każdym razem zmuszasz mnie, żebym ci to powiedziała. Jesteś miłością mojego życia, platoniczną, niestety. Mam dwie nienaruszalne zasady: nie uprawiam seksu z kobietami i ze zwierzętami.

Roześmiała się, krztusząc się swoim martini.

– Gdybyś jednak zmieniła kiedyś zdanie, będę ci wierna aż po grób. Zanim to jednak nastąpi, muszę ci coś powiedzieć. Ważnego.

Coś w tonie jej głosu zasugerowało mi, że niekoniecznie chcę usłyszeć to, co ma mi do powiedzenia. I że z pewnością pożałuję, że zgodziłam się tego wysłuchać.

ROZDZIAŁ DRUGI,
W KTÓRYM DLA KASTRATA ROZPOCZĄŁ SIĘ KONIEC ŚWIATA

Na dwudzieste drugie urodziny dostałam od ówczesnego kandydata na chłopaka śliczną małą puszystą kulkę, która miauczała przeraźliwie, próbując wyswobodzić się ze wstążki. Kandydat na chłopaka okazał się upośledzonym egzemplarzem, za to kot szczęśliwie przetrwał i jest ze mną od... No dobra, gdybym miała terapeutę, zapewne miałby co nieco do powiedzenia na temat mojej lekkiej traumy związanej z wypowiadaniem na głos wieku. Mojego, dla uściślenia, wieku. I czym się tu chwalić? Za czterdzieści lat będę miała galopującą demencję, za dziesięć będę stałą klientką gabinetów chirurgii plastycznej, za osiem upiję się do nieprzytomności na własnej czterdziestce. Tak, a mój kot ma dziesięć lat. Terapeuta byłby ze mnie dumny. Kastrat jak każdy szanujący się kot nienawidzi mnie za to, że oddałam go w ręce weterynarza, skąd powrócił do mnie w nieco zubożonej wersji. Na pamiątkę tego najważniejszego wydarzenia w jego życiu nazwałam go Kastratem. Za to też mnie pewnie nienawidzi. Chyba nigdy w pełni nie zaakceptował swego losu, gdyż z zupełnie niepojętej dla mnie przyczyny to przesympatyczne zwierzę na widok mężczyzn zamienia się w skłębioną furię. Dobrze, że mam dwa pokoje, bo inaczej musiałabym zamykać go w łazience, gdy mam gościa, albo też zrezygnować z jego wizyty, co niezbyt by mnie uszczęśliwiło. Tak oto za każdym razem kiedy tylko odkładałam słuchawkę telefonu po uroczej rozmowie z uroczym mężczyzną, który tegoż uroczego wieczora miał zjawić się u mnie na uroczą kolację połączoną z uroczym śniadaniem, mój uroczy kot zaczynał strzyc jednym uchem. Lewym, przebrzydły potwór. Potem jakby od niechcenia wysuwał pazury z łapy i wbijał się bezszelestnie w oparcie fotela. Mój ulubiony mebel już dawno co prawda wytarł się tu i ówdzie i stracił intensywną czerwień, nie licząc licznych plam po czerwonym winie (kto powiedział, że czerwonego wina nie widać na czerwonym materiale?!), ale dziwnym trafem wciąż stanowił źródło rozrywki Kastrata. Jeśli rozmowa trwała długo, ślad po czterech pazurach kończył się dopiero na krawędzi mebla, jeśli w miarę krótko, poprzestawał na wyszarpaniu pojedynczych nitek. Dzwonka do drzwi z reguły nie było już słychać – Kastrat zaczynał wyć: ponuro, z głębi piekielnych trzewi. Jak na zawołanie toczył pianę z pyska i powarkiwał. Kot nie warczy? Tak, też tak myślałam, do czasu... Ulubionym zajęciem Kastrata było wczepianie się w męską łydkę – ofiarę dopadał zawsze od tyłu, najpierw wbijał pazury z łapy prawej, potem lewej, i dopiero na samym końcu wgryzał się w ciało. Dlatego też wieczorem zamykałam go w drugim pokoju, z którego wypuszczałam go czasem bladym świtem – jeśli uroczy mężczyzna po uroczej nocy tracił zbyt wiele ze swego uroku. Zagnawszy ofiarę aż do drzwi, Kastrat wracał do mnie, cicho pomrukując, ocierał się o moje nogi i gdy tylko siadałam z kawą na fotelu, wskakiwał mi miękko na kolana. Tworzyliśmy idealną parę, przynajmniej dopóki nie przypomniał sobie, dlaczego nosi takie imię. Dokładnie taki scenariusz towarzyszył ostatniej parze męskich nóg, które przekroczyły próg mej sypialni. Zapowiadał się miły wieczór, naprawdę MIŁY wieczór, Kastrat był wyjątkowo spokojny, zaledwie rozpędzał się i głucho walił w ścianę, zachowując zresztą niebywale melodyjny rytm. Trochę to rozpraszało mego gościa, który sam gubił własny rytm, na szczęście jednak wykazał się sporą dozą wyobraźni i – ale o tym może później. W każdym razie około trzeciej nad ranem obudził mnie szloch. Wstrzymałam oddech, łudząc się, że to może jednak sen, ale kiedy gość wysmarkał się z impetem w chusteczkę, straciłam wszelką nadzieję. Zaczął coś mamrotać pod nosem, a kiedy leżąc w bezruchu na prawym boku, zastanawiałam się, gdzie zostawiłam torebkę z gazem i jak szybko zdążę do niej dobiec, usłyszałam, że urywającym się głosem powtarza coś o szalonym kocie. Co więcej, mamrotał najwyraźniej o kocie swojej matki. Wcale nie twierdzę, że mam pecha do facetów, że spotykam same uszkodzone egzemplarze – nie ma nic bardziej oczywistego dla kobiet niż to, że normalni faceci wyginęli w czterdziestym trzecim roku przed naszą erą. Znamy ich tylko z opowieści naszych praprababek, z książek historycznych i naukowych (beletrystyce nie ufamy) i kobiecej mitologii. Odczekałam, aż jego oddech się nieco uspokoi, i wstałam, kierując się ku łazience. Zanim jednak do niej weszłam, uchyliłam drzwi Kastratowi. To w zupełności wystarczyło: po pięciu minutach po gościu nie było ani śladu, a ja zrobiłam sobie kawę i usiadłam w kuchni przy oknie, przez które wpadał szary sobotni poranek. Wciąż nieco zjeżony kot wskoczył mi na kolana i wyginając grzbiet, mruczał na nutę zwycięskiej samczej melodii. Co ja bym bez niego zrobiła?

ROZDZIAŁ TRZECI,
W KTÓRYM POJAWIA SIĘ PEWIEN ATRAKCYJNY MĘŻCZYZNA,
DALEKI JEDNAK OD IDEAŁU

— *¡Hola! ¿Cómo estás?*
— *¡Hola! Bien, gracias* — odparłam nieco zaskoczona.
Nie spodziewałam się ujrzeć tutaj jednego z lektorów z mojej szkoły językowej. Na imprezach zamkniętych organizowanych z okazji wernisaży, czyichś jubileuszy czy po prostu towarzyskich spotkankach krakówka zazwyczaj spotykam znajomych ze środowiska gazety. Na ogół chodzę na nie raczej z obowiązku niż dla przyjemności, ale kiedy obowiązek wspiera się litrami doskonałego alkoholu, trudno odmówić sobie przyjemności. Tym bardziej jeśli wśród wywieszonych zdjęć są i moje. Jako pracownik medialnego organu mam właściwie wolny wstęp na każdą imprezę w tym mieście, nawet jeśli nie figuruję na liście osób zaproszonych. Moja gęba zdążyła się już opatrzyć wszystkim gorylom i ochroniarzom wszelkiej maści, którzy zazwyczaj wciśnięci przemocą w gajerek blokują wejście do ekskluzywnych klubów, wynajętych sal teatralnych i pubów. W Pauzie na szczęście ochrona wciąż jeszcze nie zaistniała, chociaż kiedy człowiek zmuszony jest nad ranem do lawirowania między pijanymi w sztok brytolami,

z rozrzewnieniem myśli o barczystym mężczyźnie, na widok którego każdy momentalnie trzeźwieje.

– *¿Y tú? ¿Qué haces en* Pauza? – Ciekawiło mnie, co tu robił. Znałam go właściwie tylko z widzenia, co prawda był raz na zajęciach z hiszpańskiego w charakterze zmiennika. Nasz nauczyciel, młodziutki cherubinek z Sewilli, zapadł nieoczekiwanie na tajemniczą chorobę, która uaktywniła się następnego dnia po zajęciach w Mleczarni. Było dość upalnie i sama myśl o siedzeniu półtorej godziny w dusznej sali wywoływała w nas atak katatonii, więc zaproponowaliśmy Manuelowi lokal zastępczy, czyli ogródek Mleczarni na Kazimierzu. Nie odmówił, podobnie zresztą, kiedy kupowaliśmy mu piąte piwo. Najwidoczniej nie był przyzwyczajony do polskich miarek, bo po hiszpańsku zaczął mówić znacznie gorzej od nas. Ostatnie słowa, które wypowiedział tamtego wieczoru, brzmiały: *polaca cerveza* – po czym zasnął z głową na stoliku i ze wspomnieniem polskiego piwa w ustach. Nikt z nas właściwie nie wiedział, gdzie mieszka Manuel, ale szybki telefon do sekretariatu szkoły wystarczył, żeby przysłali po niego taksówkę. Dwa dni później na zajęciach pojawił się niejaki José, ucieleśnienie marzeń wszystkich Polek o przystojnych Hiszpanach – wysoki brunet o ciemnej karnacji. Ubierał się zazwyczaj w idealnie dopasowane spodnie, pięknie podkreślające linię nóg, i obcisłe podkoszulki. Kiedy przechodził korytarzem, wszystkie kobiece dusze wydawały przeciągły jęk. Żadna z nas nie mogła się tego dnia skupić na tekście, myliły się nam podstawowe czasowniki i za nic nie mogłyśmy sobie przypomnieć odmiany tych nieregularnych. W mojej grupie jest nieco zachwiana równowaga: płeć żeńska, choć mniejsza liczbowo, przewyższa część męską wiekiem. Najstarsza z nas ma chyba coś koło trzydziestu dwóch lat, no dobra, będę asertywna: to ja, a reszta waha się pomiędzy dwudziestym siódmym a trzydziestym pierwszym rokiem życia, chłopcy zaś mieszczą się w przedziale siedemnaście–dwadzieścia trzy. To chyba oczywiste, że każdy mężczyzna mający więcej niż dwadzieścia cztery lata, który pojawiłby się w tej sali, wzbudziłby nasze zainteresowanie, a już na pewno taki z gorącą hiszpańską krwią krążącą w jego hiszpańskich żyłach. A José ma doprawdy dość interesującą powierzchowność, zaczynającą się od burzy kręconych czarnych włosów, a kończącą się jakieś sto dziewięćdziesiąt centymetrów niżej. Większość lektorów jest dość niska, José jako jedyny, wchodząc do sali, musi schylać głowę. Nie da się ukryć, wybija się z tłumu. I ma jeszcze jeden plus – w przeciwieństwie do Manuela świetnie zna język polski.

– Przyjaciółka mnie zaprosiła.

Przyjaciółka? Czyżby się nawrócił i postanowił zostać porządnym mężczyzną, który marzy tylko o tym, by dostać się do damskiej, a nie męskiej bielizny? Przecież wszyscy wiedzą, że jest gejem. To raczej trudno ukryć w tym mieście. No dobrze, może nie jest to takie znowu oczywiste, bardziej właściwie wygląda na metro- niż homoseksualnego, co jednak nie zmienia faktu, że wszystkie kursantki bez wahania oddałyby swój podręcznik za sto dziesięć złotych w zamian za jedną godzinę konwersacji prywatnej. Nawet gdyby jednak pod spodem nosił damską bieliznę. Swoją drogą do jego karnacji pasowałby głęboki odcień czerwieni, może satyna albo...

– Pomagała przy organizowaniu wystawy, więc... Sama rozumiesz. – Spojrzał na mnie, najwyraźniej czekając, aż odwdzięczę mu się tym samym i powiem, co ja tu robię. Ale nie mogłam się jakoś skupić, wszystko przez tę cholerną satynę.

Może i miałabym wątpliwości co do jego orientacji, z Hiszpanami wszak nigdy nie wiadomo, gdyby nie tamten wieczór, kiedy opijaliśmy rozwód znajomych w ulubionym klubie gejów, Kitschu. Młoda para rozwodników najlepiej z nas bawiła się na parkiecie – ona jakiś czas wcześniej odkryła, że zdecydowanie lepiej żyje jej się z kobietą, on wreszcie odetchnął, kiedy odkrył, że niezbyt udane życie łóżkowe to nie kwestia braku jego umiejętności, ale raczej jej odmiennych fantazji seksualnych. Rozstali się w pełni szczęścia, on zaprzyjaźnił się z jej kobietą, a ona obiecała podsyłać mu wszystkie nielesbijki, które napotka na swojej drodze. Na imprezie szaleli we dwójkę, budząc powszechne zgorszenie wśród gejów. Lesbijki są zdecydowanie bardziej tolerancyjne. To się stało zaraz po tym, jak wylałam zawartość swojego kieliszka na zabawnego gościa, który podrywając nieletniego cherubinka, gestykulował zbyt mocno. Nie żebym miała alergię na gestykulujących gości, po prostu mam alergię na zabawnych gości podrywających nieletnich synów moich sąsiadów. Olek, jak tylko mnie dostrzegł, zwiał do domu, a gość mokry od żołądkowej gorzkiej, która dziwnym trafem jest słodka, zaczął pijackim bełkotem wysławiać pod niebiosa moją matkę. Spojrzałam nieco ponad jego głową, co nie było zbyt trudne, jako że sięgał mi do pachy, i zobaczyłam, jak najprzystojniejszy na świecie lektor hiszpańskiego ciągnie za rękę nażelowanego przystojniaka w stronę łazienek. Znad krawędzi seksownie opadających spodni chłopaczka wystawały czerwone satynowe stringi.

Jestem nieskończenie tolerancyjną osobą, ale na Boga! to przecież nauczyciel, a nauczyciel to prawie jak ksiądz. Chciałam nawet pójść za nimi, w pierwszym dziennikarskim odruchu, ale po przepchnięciu się przez barwny i mało skoordynowany tłum pijanych brytoli, którym wszystko jedno, czy śliną się do Polek czy do homo-Polaków, natknęłam się na barczystego ochroniarza, który z uroczym uśmiechem zatarasował mi wejście do męskiego przybytku.

– Bez urazy. – Rozłożył przede mną starannie wydepilowane ręce.

– Piękne zęby – mruknęłam do niego wdzięcznie i zawróciłam z westchnieniem.

Niech to szlag, jednak tak szybko nie zapomną mi tamtego artykułu, który ozdobiłam fantastycznymi zdjęciami z zakamarków lokalu na ulicy Wielopole. Każdy, kto choć raz trafił do męskiej łazienki, w pełni docenił niepowtarzalny klimat tego miejsca na moich zdjęciach. Gazeta i tak opublikowała tylko kilka tych najmniej „eksponujących wstydliwe podbrzusze polskiego środowiska gejowskiego" – jak to ujął mój dystyngowany szef, strzepując z odrazą niewidoczny pył z opuszek palców – ale resztę sprzedałam pewnemu portalowi internetowemu za całkiem przyzwoitą sumę. Niestety, tydzień po wydaniu gazety nie wpuszczono mnie na sobotnią imprezę. Zmieniłam więc lokal na jakiś miesiąc, a kiedy spróbowałam ponownie, bez zbytnich ceregieli, za to z lekką domieszką rezerwy, dostąpiłam zaszczytu przekroczenia progu wielopolańskich przestrzeni. Jednak do męskiej łazienki nie udało mi się dotrzeć. No cóż, musiałam poprzestać na tym jednym obrazku, który zresztą w znacznie barwniejszej postaci rozkolportowałam wśród znajomych ze szkoły językowej. Zastanawiające, że najwięcej uciechy mieli z tego chłopcy, dziewczynom jakoś specjalnie do śmiechu nie było. Manuel nie dał się już więcej zaciągnąć do knajpy, więc José widywaliśmy tylko w przelocie na korytarzu. Raz przyłapałam go na świdrowaniu mnie mało przychylnym wzrokiem – zapewne plotki dotarły i do jego uszu, a skoro mógł zauważyć mnie podczas tamtej imprezy w Kitschu, to i mógł skojarzyć pewne fakty. Albo ma dobrego terapeutę, albo krótką pamięć, albo jest dobrym aktorem – podczas spotkania w Pauzie patrzył na mnie w każdym razie dość przyjaźnie, no, przynajmniej neutralnie.

– A ciebie co tu sprowadza?

Proszę, proszę, rzadko to spotykana składnia u cudzoziemców mówiących po polsku.

– Miałem znakomitego nauczyciela, a poza tym siedzę tu już kilka ładnych lat.

Cholera, znowu mój niewyparzony jęzor nie nadąża za sygnałami wychodzącymi z mózgu! Przecież miałam to tylko pomyśleć! Nie głośno! (To niepokojące, że zaczynam się zachowywać jak Szymon, mój kolega z pracy). Swoją drogą, ciekawe, czy jego nauczyciel nosi czerwoną satynową bieliznę...

Dziwnie na mnie spojrzał. O Jezu, chyba tego nie wypowiedziałam na głos...

– Dobrze się czujesz? Dziwnie wyglądasz.

Uff, tym razem mi się upiekło.

– Nie, nie, wszystko OK. Po prostu trochę tu duszno. Mogliby choć trochę uchylić te okna.

– Hm, podczas wernisażu to mało rozsądne, zepsuliby efekt sztucznego oświetlenia zdjęć i wszystko poszłoby na marne. Spójrz tylko na tę niezwykłą atmosferę, jaka emanuje z tych obrazów. Słońce zniweczyłoby subtelny urok sepii. Żenada. Nie dość, że gej, to jeszcze się wymądrza. I to na jaki temat? Fotografii, jedynej dziedziny, prócz burzliwego życia emocjonalnego, na której się doskonale znam! Zniweczyłoby, też coś!

– To co tu w końcu robisz? Nie odpowiedziałaś mi na pytanie. Czy ktoś z twoich przyjaciół to organizuje?

– Taak, moja przyjaciółka wystawia tu swoje foty, więc przyszłam jako osoba towarzysząca. – Niespecjalnie wierzę w krzyżowanie palców za plecami, ale skoro wszystkie bohaterki chicklitów właśnie tak robią, to cóż mi szkodzi spróbować? Hm, rzeczywiście jakby potoczyściej się kłamie. – O, widzisz, na ścianie po lewej stronie wiszą jej prace – pokazałam mu bezczelnie kierunek zapaloną fajką – ale powiem ci w tajemnicy, że nie podobają mi się. Są takie bez wyrazu, jakby płaskie. – Uch, rozkręcam się.

– Tak, skoro już jesteśmy szczerzy, to powiem ci, że to najsłabsze zdjęcia na tej wystawie. Pozbawione głębi spojrzenia, słaby kadr i jakby nieprzemyślana kompozycja. Też mi się nie podobają.

Kurwa, co za parszywy, przebrzydły gej! Geiszcze wstrętne! Nie podobają mu się moje zdjęcia, też coś! Pozbawiony smaku, bezczelny typ, totalne bezguście, najniższy poziom rozwoju, pierwotniak!

– Cóż, nie ujęłabym tego aż tak dramatycznie – wycedziłam lodowato i strąciłam popiół z koniuszka fajki na jego wypolerowany but. Dlaczego ci cholerni Hiszpanie mają zawsze wyglancowane buty? Nie mają nic innego do polerowania? – Wybacz, muszę iść przywitać się z...

– Zatoczyłam w powietrzu koło dopalającym się papierosem, sugerując, że czeka na mnie cały tłum spragnionych mego widoku znajomych bliższych i dalszych.

– Jasne, miło było cię spotkać.

Może sobie tę pierdoloną kurtuazję wsadzić do czerwonych satynowych stringów. Postanowiłam, że nie będę już krzyżować palców za plecami. Jestem na tyle dorosła, że nie muszę zniżać się do kłamania takim sparszywiałym osobnikom, którzy nie znają się na prawdziwej sztuce.

– Ciebie też.

Kurwa, kiedy ja w końcu dorosnę?!

Anka znalazła mnie oczywiście przy stole z winem. Wiedziałam, że prędzej czy później dosiądzie się do mnie, więc zawczasu zaanektowałam dwa krzesła, ku zgorszeniu zramolałych gości, od których łysin odbijało się sztuczne światło, tak niefortunnie „niwecząc subtelny urok sepii". Widziałam, jak szła przez salę zaczepiana co chwila przez znajomych albo i nieznajomych. Anka miała w sobie to „coś", co sprawiało, że oglądali się za nią zarówno mężczyźni, jak i kobiety. I przyczyna tego z pewnością nie tkwiła w gęstych czarnych włosach sięgających jej do pasa, wielkich oczach podkreślonych starannym makijażem ani w zgrabnej figurze. Emanował z niej nieuchwytny urok, esencja kobiecości, za którą niejedna z nas oddałaby diabłu nie tylko duszę. Była piękna, o czym doskonale wiedziała, i za każdym razem kiedy słyszała to ode mnie czy kogoś innego, machała tylko z lekceważeniem ręką. Na taki gest stać tylko p i ę k n e kobiety. Za jej plecami mignęła mi twarz José.

– Pieprzony głąb – mruknęłam pod nosem.

– Nie wiem kto, ale jeśli aż tak cię wnerwił, musiał się postarać. Poza tym znowu mówisz do siebie na głos. To niebezpieczne.

– Szkoda słów na kogoś, kto nie zna się na prawdziwej sztuce.

– Niech zgadnę, ktoś skrytykował twoje zdjęcia? – Podniosła na chwilę głowę znad kolan i spojrzała na mnie, mrużąc oczy. Zajęta była wygładzaniem mikroskopijnych fałdek na spódnicy tak krótkiej, że gdybym to ja ją włożyła, zaczynałaby się w okolicy bioder, a kończyła poniżej talii. Już nie wspomnę o tym, że w przeciwieństwie do Anki, wyglądałabym jak mrożony kurczak. – Skrytykował? – zapytała ponownie z niedowierzaniem. Przecież nie powiem jej, że sama to zrobiłam i w dodatku mam na to świadka.

– OK, OK, zaraz poprawię ci nastrój. Posłuchaj tylko. Przed chwilą natknęłam się na najseksowniejszego mężczyznę pod słońcem, ubóstwianego przez wszystkie kobiety tego i tamtego świata, którego wielbią duzi i mali, krynicę mądrości i źródło nieprzemijającej urody. – Nic dziwnego, szef zazwyczaj bywa na takich imprezach. Nie wypada mu nie przyjść na wernisaż swojej pracowniczki. – A wpadłam na niego w łazience. Damskiej. Gdzie na próżno próbował zasłonić sobą Mirkę. Pospiesznie zapinającą biustonosz. Z jedną opuszczoną pończochą. – Między każdym zdaniem robiła krótką przerwę na łyk wina.

– Tylko jedną? Ohydny zboczeniec. Ciekawe, kogo w tej firmie nie przeleciał.

– Na pewno mnie, a co do ciebie, to nie byłabym taka pewna. – Anka puściła do mnie oko. – Z nas dwóch tylko ja jestem lesbijką, co w pełni mnie dyskwalifikuje. Ale ty...

– Przestań! Chyba nie chcesz, żebym za każdym razem podczas orgazmu miała przed oczami szefa w opuszczonych gaciach?

– Skądże. Orgazm rzecz święta. Może pstryknęłabyś im tak kilka zdjęć w łazience? Zakładam, że jeśli wypłoszyłam ich przed czasem, to znowu się tam zabarykadowali i właśnie teraz posapując w rytm boskiej samby, łupią rytmicznie w podstawę sedesu, wydając przy tym z siebie...

– Witam. Świetne zdjęcia, pani Ado. Jak zawsze zresztą, gratuluję.

– Dzięki, szefie. Bardzo sobie cenię pana komplementy.

Odszedł, udając, że nie dostrzega Anki chowającej się za stołem.

– Wyłaź, mistrzu wyczucia. Istnieje cień szansy, że albo nie dosłyszał twoich słów, albo nie skojarzył, że chodziło ci właśnie o niego. W każdym innym wypadku w poniedziałek znajdziesz na swoim stole wymówienie.

– No cóż, wypijmy więc za zdrowie naszego buhaja. Przyda mu się, zważywszy na to, ile energii traci na obracaniu panienek i zachowywaniu pozorów świętoszkowatości.

Wypiłyśmy, bo rzeczywiście było za co. Nie każdemu w życiu trafia się tak egzotyczny szef jak Łukasz R., zwany przez nas pieszczotliwie Adonisem. W mniejszych kręgach Adonisem Męskim Zwisem, a w jeszcze mniejszych... Nie, tego już nie powiem. Mama mi zawsze powtarzała, że kobiety nie powinny używać takiego słownictwa. Adonis nie grzeszy zbytnio wzrostem ani urodą — ma metr sześćdziesiąt pięć, co próbuje zatuszować, dodając sobie kilka centymetrów w obcasach, i żadnych wcięć w figurze

– wygląda jak kulka ulepiona z plasteliny przez niedorozwiniętego dzieciaka z ochronki. Nie stuknęła mu jeszcze czterdziestka, ale placek łysiny na czubku głowy już od kilku ładnych lat przebija spod misternie ułożonych włosów koloru blond. Wyglądałby właściwie zupełnie przeciętnie i trudno byłoby go wyłowić z tłumu, gdyby nie jego zamiłowanie do rzadko spotykanych połączeń kolorów i tkanin. Wśród jego tygodniowych zestawów do pracy, a ma ich bez liku, bo rzadko kiedy pojawia się w tej samej kombinacji, przeważają srebro i złoto, które zachwycająco mienią się w promieniach południowego słońca. Skąpanego we wschodzącym słońcu, dzięki Bogu nigdy go nie widziałam, a co do zachodzącego, to jeszcze nigdy nie był w pracy aż tak długo. W przeciwieństwie do jego pracowników. Chociaż i tych widuję z rzadka o tej porze, gdyż nieczęsto bywam w pracy w godzinach przeznaczonych na siedzenie w knajpie. Adonis najwyraźniej wciąż poszukuje swej tożsamości, gdyż w zeszłym roku zdecydowanie dobierał sobie stroje w tonacjach błękitu, a dwa lata temu – złota. Ten rok upływa mu pod sztandarem wszelkich odcieni różu. Adonis różanopalcy. Gdyby nie ten zapas ciała, który hojnie przelewa się przez pasek spodni, nic nie powstrzymałoby go przed przekonaniem, iż jest efemerycznym motylem, podskubującym wdzięki tego świata. A tak podskubuje kobiece wdzięki zatrudnionych w gazecie istot, które albo mają go za lokalnego boga, albo też widząc w nim idiotę u władzy, próbują za cenę jego orgazmu zdobyć rys profesjonalistki. Nie karierowiczki, broń Boże – to ulubiona fraza szefa, którą częstuje wszystkie potencjalne kandydatki na stanowisko w redakcji. „Tutaj dopiero człowiek uczy się, co zrobić z wiedzą zdobytą na studiach, tutaj poznaje to, co najważniejsze w życiu, tutaj właśnie zdobywa się pełen profesjonalizm. Ta praca to życie, nie kariera – o nie! Nic bardziej złudnego i pustego niż karierowiczostwo, nic bardziej ważkiego od ślepego pędzenia za ambicją!" Szefowi zawsze myliło się określenie „ważki" z „błahy". Pewne wpadki językowe nadzwyczaj trafnie odzwierciedlają ludzką naturę. Niestety, Adonis nie ma ludzkiej natury...

A raczej, patrząc pesymistycznie na ród człowieczy, można orzec, że ma aż zbyt ludzką – jest bowiem kłamliwym sukinsynem, wykorzystującym innych, manipulującym, zakompleksiałym tyranem i despotą, który gardzi ludźmi dlatego, że się ich boi, nędznym skurwielem, moralną pokraką... Ach, mogę tak bez końca – to takie odstresowujące, skuteczniejsze niż joga.

– Wyglądasz, jakbyś właśnie doznała oświecenia. – Anka przyglądała mi się ciekawie.

– Nawet lepiej, doznałam wniebowzięcia.

– Niech zgadnę, znowu układałaś litanię do najwyższej w tej firmie instancji?

Nikt mnie nie zna tak dobrze jak ona. Czasami to bywa niebezpieczne, na przykład kiedy coś próbuję przed nią zataić, dlatego też unikam jak ognia podobnych sytuacji.

– Kiedyś wydam ją w twardej oprawie, w obwolucie z różowego pluszu i rozpowszechnię wśród wszystkich pracowników tego świata. Na stronie tytułowej będzie puste miejsce na imię szefa. Gwarantowany bestseller.

– No to zdrowie przyszłej autorki! – Mogłabym przysiąc, że te dwie lampki wina Anka wyciągnęła spod obrusa, bo na stole już od dawna stały tylko opróżnione kieliszki. – Jak już sprzedasz pierwszy milion egzemplarzy, kupisz mi jacht? Taki niewielki, góra sześcioosobowy? Zawsze o takim marzyłam...

— Jasne, pod warunkiem że jeśli zjawię się kiedyś u ciebie ciemną nocą z przerzuconym przez plecy wielkim workiem, z którego będzie kapała krew, bez słowa wypłyniesz ze mną w rejs i pozbędziesz się bagażu.

— Obiecuję też, że kiedy następnego dnia okaże się, że szef nie przyszedł do pracy, nie pisnę ani słowa!

Zastanawiam się tylko, jak wytrzymuje z nim jego żona. Bezustannie ją zdradza, na pewno jego ciuchy zajmują znacznie więcej miejsca w szafie niż jej i pewnie jeszcze niektóre jej wykrada. Poza tym uważa się za praktykującego, gorliwego katolika i jako taki wygłasza nam w pracy nad głowami pobożne sentencje na temat miłości bliźniego, pokory i bojaźni bożej. Ciekawe, o czym jej prawi w łożu małżeńskim – o trądzie Hioba? Nie, pewnie przytacza jej mądrości salomonowe, podając je w dodatku za własne. Zadziwiająca to para, gdyż jego małżonka wygląda na całkiem rozsądną i sympatyczną kobietę. Kiedyś z nią o tym porozmawiam, jak już rzucę tę pracę.

Dosiadła się do nas jakaś dziewczyna, rachityczna blondynka z oczami wypłosza. Prawdopodobnie skądś ją znam, ale nie pamiętam skąd, być może to najnowszy połów Anki, zważywszy na te ożywione spojrzenia między nimi, od których aż iskrzyło. Czy ja się kiedyś wreszcie zakocham? Nawet nie muszę tak na zabój, śmiertelnie, ostatecznie, do grobowej dechy. Chciałabym tak chociaż odrobinę... Choć trochę się zakochać w mężczyźnie, który padłby mi do stóp, który... Który nie byłby tym parszywym gejem!

— Co ty wyprawiasz?! Wylałeś mi wino na buty!

– Przepraszam, przepraszam cię bardzo – wystękał, podnosząc się z podłogi. – Nie widziałem, że położyłaś nogi na krześle. Chciałem po prostu przejść. – Otrzepywał spodnie oczywiście zaprasowane na kancik.

– Jasne, po trupach, byle do celu – mruknęłam zjadliwie, ratując me piękne czerwone atłasowe buciki zimną wodą i serwetkami. Oczywiście że nie były atłasowe, nie można sobie czasem pofantazjować? – ale bardzo podobne w dotyku. Wszyscy znajomi doskonale znają moją słabość do butów – mogę przeżyć bez kremu pod oczy, co ja mówię, umiem nawet zrezygnować z moich ulubionych zapiekanek, byle tylko pozwolić sobie na kupienie każdych interesująco wyglądających butów. Szafę w moim przedpokoju zapełniają właściwie tylko pudełka z butami i kilkanaście kreacji podarowanych mi przez matkę.

– Poczekaj, na plamy z czerwonego wina najlepsza jest sól – rzucił i zniknął w następnej sali.

– Ciekawe, kto go tego nauczył. *La abuela?* – zachichotała szyderczo Anka, podając mi cały plik serwetek z sąsiedniego stolika. – Lepiej posłuchaj rad m o j e j babci i po prostu zdejmij te buty, i wsadź je pod kran. Czerwone zacieki na czerwonych pantoflach nie muszą koniecznie wyglądać stylowo.

Uznałam, że ma rację, ale zanim zdążyłam zdjąć choć jeden z nich, pojawił się José, który zamaszystym ruchem wysypał mi na buty całą zawartość cukiernicy.

– O cholera, myślałem, że to sól.

Jeszcze nigdy nie spotkałam lesbijki, która pomyliłaby cukier z solą. Geja owszem, kiedyś znajomy „posłodził" mi kawę i do tej pory nie mogę wyrzucić z pamięci tego ohydnego smaku. Ale ten gość przekracza wszelkie granice.

– Nie zbliżaj się do mnie! Nie dotykaj mnie! Nawet nie patrz w moją stronę! Po prostu obróć się na pięcie i wyjdź stąd – powiedziałam wolno i wyraźnie, zaczynając liczyć w duchu do trzydziestu. Przy piętnastce wyszedł, przy dwudziestcepiątce moje buty mokły pod kranem, a przy trzydziestce wypłukiwałam zimną wodą z butelki cukier spomiędzy palców. Nie muszę chyba nadmieniać, iż buty po tej tragedii, zwanej uporczywie przez Ankę i jej koleżankę farsą, nadawały się już jedynie do brodzenia po kałużach i okolicznych bagnach.

Resztę imprezy spędziłam na toastach wznoszonych przez kolegów na cześć moich bosych stóp. Obśmiewaliśmy po kolei wszystkie zdjęcia, oczywiście oprócz moich, choć nie łudzę się zbytnio i wiem, że po moim wyjściu wylali na nie hektolitry jadu. Pewnych zasad w środowisku moich znajomych łamać nie wolno – jedną z nich jest niekrytykowanie prac w obecności ich twórców. Anka miała rację, w życiu szefa zaczął się nowy etap zwany obecnie Mirką. Ten facet ma zbyt niski poziom samokontroli: łazi za nią krok w krok, obślinia jej sylwetkę perwersyjnym spojrzeniem, przesyła jej nawet całusy, stojąc w grupie własnych pracowników! A biedna dziewczyna, która pracuje u nas od niedawna, nie ma najmniejszego pojęcia, że będzie tylko tymczasową gumową lalą, służącą do rozładowywania seksualnego napięcia. Dlaczego te panny tak łatwo dają się nabierać na rozbierających ich wzrokiem starszych gości? To niepojęte, pchają się jak ćmy do światła, a raczej jak muchy do nawozu... Ukrytego pod różową koszulą w czarne kwiaty. Prędzej czy później fetor zaczyna się wydobywać spod tych wszystkich warstw, a dziewczyny albo zostają w gazecie, dołączając do grona „niepokalanych", jak złośliwie określa je Bartek ze składu (sam tak nikczemnej postury i jeszcze potworniejszego charakteru, że dotąd nie udało mu się żadnej pokalać), albo znikają z dnia na dzień ze złamanym sercem. Po kilku pogawędkach przy łazienkowym lustrze, gdzie drżącą ręką próbowały poprawić sobie rozmazany od łez makijaż, wiem już, że każda z nich widziała się na miejscu nowej żony, otoczona nie tyle przepychem, ile czułością i miłością zakochanego w niej mężczyzny. Z facetami jednak jest łatwiej i uczciwiej – kiedy zapraszasz ich do siebie na noc, nie spodziewają się, że padniesz im do stóp z obrączką ślubną w jubilerskim pudełku. Rano wychodzą i po sprawie. Żadnych łez, złamanych serc, wyrzutów i rozczarowań. Tak jest zdecydowanie uczciwiej. Świętej pamięci babka z małej wsi nieopodal Włocławka powtarzała mi w tajemnicy przed dziadkiem: „Świat, dziecko, to przyjemności i ich konsekwencje. To wiedzą tylko kobiety, mężczyźni są zbyt głupi, żeby to zrozumieć". Coś w tym jest, skoro zmarła jako szczęśliwa osoba, wdowa po czterech mężach i matka sześciu córek.

Mirka wyszła z wernisażu pierwsza. Dziesięć minut później ulotnił się szef. To się nazywa dyskrecja! Kiedy już skończył się nam temat Adonisa, odkryłam, że zbliża się czwarta nad ranem. Do sobotnich zakupów z matką i z moją siostrą zostało zaledwie pięć godzin, z czego przynajmniej cztery i pół muszę poświęcić na sen. Chciałam się pożegnać z Anką, ale nigdzie jej nie było. Podobnie jak jej przyjaciółki. *Love is everywhere*, kochana, a ty prosto do domu. Zabrałam z umywalki swoje buty, wyglądały żałośnie, zbyt żałośnie, żeby je włożyć na stopy, i wyszłam na Floriańską. Wyleciał jeszcze za mną barman, w pierwszej chwili przestraszyłam się, że to ja miałam zapłacić rachunek za to całe wino, które wypiłam tego wieczora, ale na widok bukietów uspokoiłam się. Po prostu zapomniałam zabrać ze sobą te badyle, które uczynni znajomi poprzynosili ze sobą na wernisaż. Bardzo zabawne, boso, z naręczem kwiatów i daleko od domu. Gdzie jest ten cholerny postój taksówek? Najbliżej chyba pod Teatr Słowackiego, ulicą Tomasza i...

– Może cię podwieźć?

Chryste Panie! Jeszcze tylko zboczeńca mi tu brakowało. Cóż, jednak nie tym razem. Zamiast lubieżnego typa o złych zamiarach w za długim płaszczu stał przede mną José w sztruksowej marynarce, z kluczykami od samochodu w ręku.

– Miałem już odjeżdżać, kiedy zobaczyłem, jak skręcasz w Tomasza. Zniszczyłem ci buty, może przynajmniej odwiozę cię do domu?

– Nie, poradzę sobie sama. Muszę tylko dojść do tamtego postoju. – Machnęłam ręką w kierunku Słowackiego, zapominając zupełnie o tych cholernych kwiatach, które momentalnie rozsypały się na ziemi. Świetnie...

– Nie chcę się narzucać, ale zdecydowanie lepiej będę się czuł, jeśli tym razem dla odmiany zrobię coś pożytecznego. Wrzuć to zielsko do bagażnika i powiedz, w którą stronę mam jechać.

Zielsko, też coś! Moje piękne łososiowe róże i białe piwonie, i chabry, i niebieskie chryzantemy. Chryzantemy? W dodatku niebieskie? Nie znoszę tych kwiatów, to nie kwiaty, to chwasty! Zielsko! Poddałam się i wsiadłam do samochodu. Tylne siedzenie było zawalone stosem przeróżnych rzeczy, od książek po puste butelki po mineralnej.

Cóż, z pewnością nie jest psychopatą, daleko mu do maniaka z obsesją na punkcie porządku.

– To dokąd?

– Na Kazimierz, na Miodową.

Kiedy prowadził, zerkałam ukradkiem na jego profil. Gość jest całkiem przystojny, właściwie to szkoda, że jego uroda musi się marnować dla kobiet. Gdyby nie to, że jest gejem, sama z przyjemnością zaprosiłabym go na górę. Nawet wybaczyłabym mu te kąśliwe i niczym nieuzasadnione uwagi na temat moich zdjęć. Zatrzymał się przed kamienicą i wyskoczył, żeby powybierać kwiaty z bagażnika. Zanim wygramoliłam się z samochodu, starając się przy okazji znaleźć klucze w mojej jednak zbyt przepastnej torbie, stał już z całym naręczem przed bramą.

– Mam nadzieję, że nie mieszkasz na ostatnim piętrze. Moje poczucie winy wobec twoich butów nie sięga aż tak wysoko. Z tymi kwiatami wejdę najwyżej na trzecie.

– Bez obawy – mruknęłam zaskoczona takim obrotem rzeczy. – Parter z oknami na ulicę.

I wszedł za mną do środka. Ocknęłam się, dopiero kiedy przekręciłam klucz w zamku i usłyszałam radosne miauknięcie po drugiej stronie. Zapomniałam o Kastracie! Zaraz znów się zacznie.

– Masz kociaka? Świetnie, uwielbiam koty.

Taak, mój kociak też uwielbia inne kociaki...

Wchodząc pierwsza, starałam się zatarasować drogę futrzanej bestii, kiedy spod pachy wyślizgnął mi się mokry but i pacnął Kastrata w grzbiet, i problem przestał istnieć. Obrażony kocur zwiał do pokoju. Wzięłam kwiaty od José i wrzuciłam je do wanny, trudno, dziś nie wezmę kąpieli. Z przyzwyczajenia zerknęłam w lustro i aż mnie odrzuciło

– w tym wieku kobieta chyba przestaje wyglądać atrakcyjnie o czwartej nad ranem. Po prostu muszę iść spać, położyć się i wyspać, pomyślałam, ale najpierw trzeba pozbyć się stąd José. Nie tracąc czasu na zastanawianie się, czy postąpię zbyt obcesowo, czy też nie, wyszłam z łazienki i wtedy właśnie ujrzałam cud. Kastrat, ten piekielny pomiot, koci kuzyn Cerbera i Meduzy, który zamienia się w żądnego krwi potwora, kiedy tylko poczuje woń testosteronu, leżał błogo wyciągnięty na kanapie, z łepkiem opartym na kolanie José i prężąc łapy, mruczał z zadowolenia i przymykał oczy, kiedy męska dłoń głaskała go po wąsach. Hola! Chyba za dużo dzisiaj wypiłam. Mruczenie stawało się coraz głośniejsze. Jeszcze chwila, a dostanie orgazmu. To niemożliwe! Miałam ochotę trzepnąć zdrowo kocura za takie amoralne zachowanie, tym bardziej że jeszcze nigdy, nigdy dotąd mnie n i e z d r a d z i ł. Przecież wskakiwał tylko na moje kolana, pakował się do mojego łóżka i tylko przy mnie mruczał tak błogo. To przecież ja go karmiłam, sprzątałam mu kuwetę, głaskałam po brzuchu i drapałam tuż nad nosem. Niewdzięcznik! Ale nie mogłam ruszyć się z miejsca – stałam jak zahipnotyzowana i nie mogłam pozbyć się tej paskudnej myśli, że wiele bym teraz dała za to, żeby znaleźć się na miejscu... Kastrata.

– Nie mówiłaś, że masz tak pięknego i przyjacielskiego kota. – José podniósł głowę i spojrzał na mnie z uśmiechem. – Na mnie już czas, poza tym wyglądasz, jakbyś rozpaczliwie potrzebowała snu.

Odprowadziłam go mechanicznie do drzwi i bez słowa wypuściłam na korytarz. Dopiero kiedy otwierał bramę, przypomniałam sobie, czego uczyła mnie mama:

– Dzięki za podwiezienie.

— Nie ma sprawy. Mam nadzieję, że teraz jesteśmy kwita. No wiesz, te buty... W Pauzie naprawdę byłem przekonany, że to sól. Gdyby tak faktycznie było, po plamach nie zostałby nawet ślad, babcia mnie tego nauczyła.

— Babcia? — Bóg mi świadkiem, że starałam się zachować powagę. — Czego jeszcze cię nauczyła?

— Że nie należy narzucać się ludziom między dwudziestą trzecią a szóstą rano. Dobranoc. — I zniknął za bramą.

ROZDZIAŁ CZWARTY,
W KTÓRYM ADA TRACI PRACĘ, A ŚWIAT, ZAMIAST SIĘ
ROZPAŚĆ, TRWA DALEJ, CZYLI SOBOTNIA APOKALIPSA

Rano byłam z siebie dumna – udało mi się wreszcie nie zaspać, wypić spokojnie pierwszą kawę, zrobić niemal perfekcyjny delikatny makijaż i nawet wyprasować spódnicę. Człowiek jednak aż do usranej śmierci zmuszony jest do odgrywania przed własną rodziną, że jest chodzącym wzorem poukładania i odpowiedzialności. Szłam sobie spokojnie Miodową, świeciło nieparzące jeszcze słońce, kiedy zadzwonił telefon. Spojrzałam na aparat, nie, to nie mój, ktoś musi mieć ten sam dźwięk, ale dlaczego nie odbiera? Dzwoni i dzwoni, tak natrętnie, że w końcu otworzyłam oczy i ze zdziwieniem odkryłam, że wciąż leżę we własnym łóżku, a dźwięk telefonu to ten przeklęty budzik, który wskazuje... Rany boskie, ósmą czterdzieści pięć. Za kwadrans mam się spotkać z matką i siostrą pod pocztą! Nie, to jakiś koszmar. Na pewno wciąż jeszcze śpię i śni mi się, że zaspałam, tak naprawdę jest dopiero siódma rano i mam jeszcze mnóstwo czasu, i... Nic z tego, to właśnie jest rzeczywistość. Wpadłam jak burza do łazienki, wypadłam stamtąd po czterech minutach, wycierając wierzchem dłoni smugę po paście do zębów, włożyłam wymię-

32

tą bluzkę i spodnie, które miałam poprzedniego wieczoru na wernisażu. Na klatce schodowej zorientowałam się, że nie dałam Kastratowi nic do jedzenia, więc wróciłam się, wsypałam mu pełną michę suchej karmy – drań nawet nie raczył drgnąć. Przynajmniej jedno się zgadzało – świeciło słońce i było całkiem przyjemnie. Jak tylko to oczywiście możliwe o ósmej pięćdziesiąt osiem w sierpniową sobotę. I wtedy zadzwonił telefon. Jezu, tak się stresuję, a to tylko kolejny pieprzony sen, pomyślałam zniechęcona. Telefon nie przestawał dzwonić, a ja zastanawiałam się, kiedy w końcu otworzę oczy.

– No odbierze pani w końcu czy nie? Ogłuchnąć tu można od tych komórek! – huknął wyprzedzający mnie staruszek z wyliniałym psem utykającym na tylną prawą łapę.

– Słucham?

– Jezu, co się stało? Masz niewyraźny głos przez telefon. Tylko mi nie mów, że właśnie cię obudziłam. Przecież od dwóch minut masz być na zakupach z rodziną.

– Anka, wiele dałabym za to, żeby to był sen. Niestety, jestem już spóźniona, lecę pod pocztę w wygniecionych rzeczach, śmierdzących fajkami spodniach z wczoraj i bez makijażu. Ale dzięki za sprawdzenie, czy nie zaspałam. Doceniam.

– Siostrunia da ci popalić, nie wspominając nic o matce. A jak tam samopoczucie po wieczorze?

– Boskie. A jak myślisz?

– Nie wiem, poderwałaś jakiegoś gościa?

– Uhm, nawet był u mnie w domu.

– To dlatego jesteś taka niewyspana, ty niecnoto!

– Przeceniasz mnie, moja droga. To José.

– Coś ty?! I pewnie zaraz powiesz mi, że...

– Widzę matkę, muszę kończyć. Oddzwonię do ciebie po tej katordze.

Byłam spóźniona zaledwie siedem minut, to jeszcze nie jest powód, żeby obdzwaniać policję i pogotowie, prawda? Kiedy stanęłam przed mamą i uśmiechnęłam się do niej, ostentacyjnie zatrzasnęła klapkę swojej komórki.

– Już miałam się połączyć z twoją gazownią. Bałam się, że w twoim mieszkaniu był niekontrolowany wyciek i że zagazowałaś się podczas snu.

– Cześć, mamo, miło cię widzieć. A gdzie Ewa?

– Poszła ci kupić kawę na wynos. Powiedziała, że skoro się spóźniasz, to znaczy, że będziesz potrzebowała kofeiny.

Stara kochana Ewa. Jest okropną zrzędą i nudziarą, ale przynajmniej pamięta o kawie. Coś w niej jednak zostało ze starszej siostry, ma trójkę swoich dzieci, ale wciąż zachowuje się tak, jakbym to ja była tym najbardziej uprzykrzonym z gromady bachorów. Moja matka z kolei ma tylko nas dwie i według niej ja wymagam znacznie więcej troski, ponoć im jestem starsza, tym więcej. Może dziwnie to zabrzmi, ale czasami czuję się, jakbym miała najmniej normalną rodzinę pod słońcem. Żałuję, że nie udało mi się wyjechać z Krakowa, wtedy przynajmniej tęskniłabym za tymi dwiema wariatkami, prowadziła długie rozmowy przez telefon, plotkowała o dawno niewidzianych sąsiadkach i z radością przyjeżdżała na święta. A już na pewno uniknęłabym wstawania o bladym świcie w sobotę, żeby odbębnić rodzinny obowiązek, a raczej rytuał. Raz w miesiącu moja matka z siostrą udają się na zakupy, żeby w ten jeden jedyny dzień „uzupełnić sobie garderobę" – jako że czynią to tylko raz na trzydzieści dni, dwanaście razy w roku, ich szafy systematycznie co miesiąc przybierają na wadze. W ich wydaniu zakupy nie oznaczają wcale dobrania butów do torebki czy dokupienia kolejnej pary majtek, o nie. Ta uświęcona sobota to niedziela wielkanocna po czterdziestu dniach ścisłego postu, wybuch szaleństwa karnawałowego, szampan i kawior po miesiącu popijania wodą chleba ze smalcem, to doba nieustającego orgazmu po roku totalnej ascezy. Zakupy.

Wielki Dzień zaczyna się tradycyjnie od mojego spóźnienia, na pierwsze pół godziny zazwyczaj przewidziana jest kawa – miłosierny gest wobec najmłodszej córki, potem w ciepłe dni spacer lub w deszczowe – jazda taksówką do najbliższej galerii handlowej. Jeśli z pierwszej jedna z nich wyjdzie niezadowolona, z wciąż pełnym portfelem i zbyt lekkimi torbami, jedziemy do kolejnej najbliższej galerii, po drodze wstępując do mniejszych sklepów z odzieżą. Gdzieś tam po drodze jest czas na obiad, ewentualnie w chwilach niekontrolowanej rozpusty na lody. Powrót następuje koło osiemnastej, po około dziewięciu godzinach włóczenia się za nimi dwiema z niewyraźną miną albo dogorywającym kacem. Nie muszę chyba dodawać, że najmniejsza chwila nieuwagi z mojej strony kończy się wmówieniem mi przez jedną z nich, że świetnie wyglądałabym w tym ciuchu i że koniecznie muszę go kupić. Jeśli już kończą mi się argumenty estetyczne – Ewa, nie żartuj, przecież to jest okropne, jak skończę siedemdziesiątkę, ewentualnie to przymierzę, OK? – przechodzę do etycznych. Nie, nie mogę sobie teraz na to pozwolić, musiałam ostatnio wyłożyć na porządny obiektyw, więc jeśli teraz to kupię, będę żałowała aż do kolejnej wypłaty. W tym drugim przypadku czai się jednak niebezpieczeństwo: jeśli mama ma naprawdę dobry dzień, czeka, aż wyjdę ze sklepu, pospiesznie wyciąga pieniądze i kupuje mi tę okropną szmatę, którą pod koniec dnia wręcza mi z uśmiechem tak bezbrzeżnego zadowolenia, że po prostu nie mogę odmówić. Potem wkładam to ohydztwo na najbliższy spęd rodzinny i kiedy już mama rozpłynie się z zachwytu nad swą uroczą córką, oddaję ciuch do komisu na Kazimierzu. Sklep prowadzi przemiła starsza pani witająca mnie z błyskiem w oku – wie, że za każdym razem przyniosę jej rarytas, na który rzucą się wszystkie klientki pod pięćdziesiątkę albo spaczone trzydziestolatki. Ma to jednak swoje dobre strony – jedno popołudnie w kwiecistej szmacie łatwo odchodzi w niepamięć, gdy za pieniądze z komisu sączę z Anką martini. Pierwszy toast jest zawsze za mamę, drugi za Ewkę, a następne... Nie zawsze pamiętam na drugi dzień, za co piłyśmy poprzedniego wieczora.

– Obudź się wreszcie, dziewczyno. Masz tu kawę. – Moja cudowna siostra z nieodłącznym grymasem na twarzy czterdziestolatki wyglądającej najwyżej na trzydzieści sześć wciska mi gorący styropianowy kubek do ręki.

– Dzięki, błogosławionaś między siostrami – szepczę tak, by mama przypadkiem nie usłyszała. Wszelkie biblijne parafrazy w moich ustach brzmią dla niej jak bluźnierstwo, więc wolę nie ryzykować. Ewka jest bardziej wyluzowana, szczególnie od czasu pierwszego porodu, kiedy jej przekleństwa pod adresem Najwyższego niosły się echem po całym korytarzu. Podczas kolejnych dwóch porodów ponoć już nie klęła, ale i tak przy trójce bachorów nabrała dystansu do religijnych uniesień. Zadziwiające jest jednak, że zdradza go tylko w moim towarzystwie, kiedy po suto zakrapianych imprezach rodzinnych wychodzimy przed dom, żeby zapalić. Kiedy dogasa jej papieros, siostra wyjmuje z torebki odświeżacz do ust, zabijając zdradzający ją zapach, wygładza nieistniejące fałdki na spódnicy i wraca jako stateczna małżonka oraz matka dzieciom. I pomyśleć, że jakieś piętnaście lat temu była zupełnie inną osobą...

– Dzisiaj zaczynamy od galerii przy dworcu – oznajmiła z radością mama, poprawiając na głowie kapelusz z wpiętymi prawdziwymi kwiatami. – Ale pójdziemy przez Rynek, nie będziemy ryzykować na Plantach napaści tych bezbożników. – Miała oczywiście na myśli to, co każdy krakowianin: obrzydliwe obsrywacze, czyli tutejsze gołębie. Hm, akurat dzisiaj nie miała się czego obawiać – ptasie kupsko nie uczyniłoby wiele szkody na jej białej sukni z szarymi esami-floresami. Mama lubowała się we wszelkich motywach kwiatowych, jeśli już zdarzyło jej się włożyć coś niekwiecistego, to doczepiała bukiecik kwiatków do kapelusza, oczywiście w kolorze niebieskich sandałków na niewielkim stylowym obcasie, albo dobierała sobie torebkę w róże czy maki. Była bardzo elegancką sześćdziesięciolatką, nic dziwnego, że to za nią najczęściej oglądali się starsi panowie spacerujący po Krakowie, nas tylko muskając pobieżnie wzrokiem.

No to ruszamy: ona dziarsko z przodu, poprawiając co chwila kokieteryjnie kwiatki, Ewka za nią w błękitnej sukience w białe romby i białych sandałkach z zakrytymi palcami (im mniej odkrytego ciała, tym lepiej dla żony i matki). Wlokłam się na końcu rodzinnego pochodu, przeklinając przechodniów tłoczących się na Siennej, parząc sobie wargi kawą i starając się nie pochlapać w biegu bluzki, na której, niech to szlag, właśnie zobaczyłam plamę od pasty do zębów. Uwielbiam te soboty, z zasady, jak każdy rytuał przejścia, bolesne. Kiedy mama wciskała się w przymierzalni w kostium w chabrowe margerytki (swoją drogą, co za idiotyzm – nie lepiej było zaprojektować go po prostu w chabrowe chabry?), a Ewka dopasowywała spodnie do marynarki, zadzwoniła Anka, oznajmiając, że koniecznie musi się ze mną spotkać tego wieczora. Zaproponowała jedną z lesbijskich knajp na Podgórzu. Gdybym wiedziała, co od niej usłyszę tego wieczora, porządnie bym się upiła, zamiast tracić czas w tej mekce kobiet oszalałych na punkcie wydawania pieniędzy. Ale wtedy jeszcze zakładałam, że po ciężkim dniu czeka mnie cudowna nagroda, wytchnienie i pocieszenie w jednym – porządny, zimny i bardzo alkoholowy drink.

Kiedy wreszcie przybrała poważniejszy ton i oznajmiła, że musi mi powiedzieć coś ważnego, po plecach przeszły mi ciarki. Spodziewałam się wszystkiego, począwszy od tego, że zakochała się w jakiejś bogatej Arabce i wylatuje razem z nią z Polski pierwszym porannym samolotem, a skończywszy na tym, że uprawiając seks z kobietą, zaszła w ciążę. Wszystkiego – poza tym, co usłyszałam.
– Co takiego?!!!
Niemal połowa kobieta siedzących w knajpie podniosła głowy i spojrzała w moim kierunku. Mogę się założyć, że jedna trzecia z nich pomyślała, że zostałam właśnie rzucona przez dziewczynę, z którą rozmawiam, pozostałe zaś dopatrywały się w tym zdrady. Zdrady z mężczyzną, oczywiście. Z mężczyzną? Ohyda!
– Wiedziałam, że się zdenerwujesz, ale chyba lepiej wiedzieć wcześniej i być przygotowaną, prawda? – Anka wpa-

trywała się we mnie lekko współczująco. – Wiesz co, chyba przyniosę jeszcze coś do picia. – I wstała od stolika.

Niech to szlag. Wszystko się posypało w jednej minucie: mój letni kurs językowy w Hiszpanii, nowy sprzęt do ciemni fotograficznej, mieszkanie, samochód... Moje plany na następne lata! Marzyłam tylko o tym, żeby się zadłużyć na trzydzieści lat w banku i kupić sobie własne cztery kąty, żeby wreszcie mieć samochód i móc swobodnie wyjeżdżać poza miasto, nie wspominając już o przystojnych Hiszpanach, z którymi mogłam wieść gorące dysputy pod madryckim niebem... A teraz? Teraz pewnie nie starczy mi na czynsz w tej wynajmowanej klitce na Miodowej, podobnie jak na bilety tramwajowe. A wszystko to przez boskiegoniechgoświniapowąchaAdonisa, który mnie zwolnił z pracy. Właściwie dopiero zwolni, jutro. Podczas niedzielnej pracy nad zamykaniem poniedziałkowego numeru.

– Niech go świnia powącha? Urocze, ale jakoś nie w twoim stylu. – Anka wróciła z dużą butelką martini.
– Stwierdziłam, że szklanki nie wystarczą w tej sytuacji.

– To cytat z mojej babci, najgorsze przekleństwo, jakie kiedykolwiek usłyszałam z jej ust. W dodatku tylko dwa razy: raz, kiedy złorzeczyła wójtowi za to, że wygrał w wyborach, a drugi, kiedy rzucił mnie chłopak – wyjaśniłam grobowym tonem, przerzucając na sąsiedni stolik zapchaną petami popielniczkę. Boże, za co ja teraz będę palić?

– Ada, to jeszcze nie koniec świata. Po pierwsze: to przecież nie jest jedyna praca na tym ohydnym łez padole, po drugie: nigdy nie lubiłaś swojego szefa, więc po co się dłużej męczyć, po trzecie: jesteś młoda, zdolna, szybko znajdziesz coś lepszego.

– A piękna już nie? Wolałabym w tej kombinacji: piękna, młoda i zdolna. Więc dlaczego ten skurwiel mnie wyrzucił?!

– Doskonale wiesz dlaczego. Na widok jego fallusa dostałabyś niekontrolowanego ataku śmiechu, co zdecydowanie obniżyłoby jego samczą pewność siebie. Woli nie ryzykować i zatrudnić osobę, która ochoczo pomoże mu w wietrzeniu ukrytych zakamarków jego boskiego ciała. Nowa praktykantka najwidoczniej robi świetne ujęcia ze zbliżenia w półmroku hotelowych sypialni, skoro dziś po godzinach pracy w swoim gabinecie mianował ją naczelnym fotografem, przy okazji rytmicznie wykrzykując jej imię.

– Jak ona ma właściwie na imię?

– Właściwie to nie wiem, kiedy szef ma lekką zadyszkę, niewyraźnie artykułuje. Jak już mu ciśnienie opadło, powiedział jej, że czeka na nią idealne miejsce pracy, bo współpracujący z nim dotąd fotograf odchodzi z gazety następnego dnia. Co za wspaniały zbieg okoliczności.

– A to skurwiel. Obiecał mi stałe zatrudnienie, zresztą na całkiem dobrych warunkach. Wpłaciłam już zaliczkę na letni kurs, byłam nawet w banku złożyć podanie o kredyt mieszkaniowy, a on tak po prostu jednym ruchem swojego fiuta przekreśla całe moje życie! – Nawet nie widziałam, że kiepuję do pustej szklanki, ale widocznie nie miałam zbyt przyjaznego wyrazu twarzy, bo barmanka po chwili zastanowienia nie zabrała jej ze stolika, ale postawiła obok mnie potężną popielniczkę i setkę wódki.

– To na koszt firmy. – Uśmiechnęła się dyskretnie i wróciła do baru.

– O Boże, aż tak źle wyglądam?

– No, jakby ci to powiedzieć... Wyglądasz, jakbyś musiała się napić. I to nie tylko. Zbieramy się stąd. Dzisiaj w nocy trochę odreagujesz – rzuciła Anka, rozlewając resztę martini i najwyraźniej gotując się do wyjścia.

Dokąd mogłaby mnie zabrać moja najlepsza przyjaciółka, żeby poprawić mi nastrój? Do ekskluzywnej imprezowni, gdzie bywają nieprzyzwoicie bogaci samotni mężczyźni przed czterdziestką? Na sesję do opalonego i cudownie umięśnionego masażysty o błękitnych oczach? Nie? Dlaczego poczułam rozczarowanie, gdy po pięciu minutach jazdy wysiadłyśmy z taksówki i stanęłyśmy przed knajpą? Nie przed zwykłą knajpą, ale sławnym Coconem! Anka twierdzi, że to dlatego, że jej w pełni nie akceptuję, zamykając mi tym samym usta. Spróbuj tylko zasugerować lesbijce albo gejowi, że go nie akceptujesz, a następnego dnia zobaczysz na murze swoje nazwisko tuż pod: UWAGA! HOMOFOB. Dlatego właśnie nie okazałam rozczarowania i potulnie weszłam za nią przez kratę, którą przytrzymała dla nas umięśniona dziewoja. Mrugnęła do mnie! Widziałam!

Przedarłyśmy się przez masę wirujących ciał na parkiecie i uderzyłyśmy prosto do baru. Jak przez mgłę zobaczyłam opróżnioną butelkę po martini i w przebłysku intuicji zamówiłam wytrawne z dużą ilością lodu i odrobiną cytryny. Przeczucie mówiło mi, że następnego dnia o poranku będę błogosławić tę decyzję. Zaopatrzona w napój bogów, ruszyłam nieco chwiejnym krokiem ku bocznej sali. Wilgotne ściany pulsowały w rytm muzyki, trudno było cokolwiek dostrzec, bo światła stroboskopu niemiłosiernie szatkowały wnętrze Coconu. Może gdybym wciąż była napaloną małolatą, wyskoczyłabym w czerwonych kozaczkach na podest i tańczyła do upadłego, ale nie da się ukryć, że małolatą to już raczej nie będę. Chociaż czerwone kozaczki leżą gdzieś na dnie szafy... Kiedy już dotarłam do spokojniejszego miejsca, gdzie obraz przestał mi migotać, i klapnęłam na kanapkę, zorientowałam się, że zgubiłam gdzieś Ankę. Podniosłam się z rozmachem i wyrżnęłam głową w plastikowy korpus męskiego ciała dyndający pod sufitem. Świat zawirował, stłukło się szkło, które trzymałam w ręku, i poczułam, że zaraz eksploduję. Postanowiłam, że jeżeli w ciągu pięciu minut nie znajdę tej paskudnej dziewuchy...

– Tu jesteś. Wszędzie cię szukałam. – Przede mną stały dwie Anki. – Idziemy tańczyć! Na parkiet!

Język trochę mi się już plątał, więc nawet nie próbowałam oponować, ale kiedy zaczęły też plątać się i nogi, zamiast tańczyć, stanęłam w miejscu w samym środku rozbawionego parkietu. Chłopcy w siatkowych podkoszulkach opinających wymodelowane torsy, pozbawione najmniejszego włoska, kobiety – hm, chyba to były kobiety, ale głowy za to nie dam, chyba że skacowaną, wtedy proszę bardzo – w strojach składających się z samych pasków i sprzączek, jedna ogromna ciemnoskóra postać w różowym stroju baletnicy, ze sterczącymi na boki dwoma warkoczykami, pięciu maleńkich typów o wygolonych głowach i w butach na obcasach – to wszystko zaczęło mi się zlewać w jeden rozmazany, pląsający obraz. Przemknęło mi jeszcze przez głowę, że tego wieczoru w Coconie jest zaskakująco dużo d z i w n y c h l u d z i. Nie żebym była nietolerancyjna, broń Boże, ale kiedy po pijaku na środku parkietu człowiek dochodzi do takich wniosków, to coś w tym musi być. Wycofałam się więc nieznacznie pod ścianę, tam było zdecydowanie bezpieczniej. Przy okazji lekko kogoś potrąciłam i odwróciłam się z przepraszającym uśmiechem, ale natychmiast tego pożałowałam. Stały tam trzy Hinduski, w sari, z henną na twarzy i dłoniach, posępnie wpatrujące się w tańczący tłum, oczywiście, do czasu kiedy je potrąciłam – wtedy wzrok wlepiły, jakżeby inaczej, we mnie. Poczułam ciarki na plecach, nerwowo przełknęłam ślinę. Musiałam szybko zająć czymś ręce, gwałtownie zaczęłam szukać po kieszeniach fajek, ale jak na złość nie mogłam ich znaleźć. Kobiety hipnotyzowały mnie swoimi wielkimi ciemnymi oczami. Jeszcze moment, a zacznę krzyczeć, pomyślałam w panice, i wtedy właśnie zobaczyłam wyciągniętą w moją stronę dłoń z paczką papierosów. Z ulgą przyjęłam poczęstunek, Hinduski wydały mi się jakby bardziej akceptowalne – jedna stanęła po mojej lewej stronie, druga po prawej, a trzecia zaczęła leniwie poruszać się w takt muzyki. Zaciągnęłam się papierosem i... I więcej nie pamiętam. W głowie majaczył mi przez jakiś czas obraz Anki, która jak furia nawrzeszczała na moje nowe koleżanki, a potem kiedy już przepychała mnie w stronę wyjścia, mówiła coś, żebym nigdy, ale to absolutnie nigdy nie brała żadnego papierosa ani drinka od Hindusek. Parszywa rasistka.

ROZDZIAŁ PIĄTY,
W KTÓRYM OKAZUJE SIĘ, ŻE NIGDY NIE JEST AŻ TAK ŹLE,
BY NIE MOGŁO BYĆ GORZEJ

Z Coconu na Miodową nie jest daleko, ale nie mam najmniejszego pojęcia, jak się dostałam do domu. Obudziły mnie jednocześnie trzy rzeczy: rozdzierający nocną ciszę sygnał budzika, łoskot, z jakim pusta miska Kastrata ląduje na podłodze po każdym podrzuceniu jej przez to niewdzięczne zwierzę, oraz niewyobrażalny, ogłuszający, oślepiający i paraliżujący ból głowy. Najgorsze, że plaskając bosymi stopami po drodze do łazienki, nie mogłam sobie przypomnieć, co takiego robiłam poprzedniego wieczora. Przed lustrem doznałam olśnienia. I wróciłam do łóżka. Skoro dziś mają mnie zwolnić z pracy, to równie dobrze mogą z tym poczekać do jutra.

Głodny kot = obrażony kot, obrażony kot = wściekły kot, wściekły kot = zerowe szanse na sen. Kiedy z obłędem w podpuchniętych oczach rzuciłam się za nim w pogoń, zaraz po tym jak wskoczył mi z rozpędu do łóżka, trafiając (co zadziwiające, jak zawsze w podobnych sytuacjach) na mój brzuch, zadzwoniła sekretarka. Poprosiła, bym podeszła do firmy podpisać jakieś niezbędne papiery. Nawet nie marudziła, że od trzech godzin nie ma mnie w pracy, cóż, najwidoczniej już to nikogo nie dziwi. Skoro wściekły potwór nie pozwoli mi wrócić do łóżka, a telefon z pracy i tak podniósł mi ciśnienie, postanowiłam stawić czoła przeznaczeniu i pójść do Adonisa. Co ma być, to będzie, choćbym miała nie wiem jak potężnego kaca. Kastrat łypał na mnie obrażonym okiem spod kanapy. Drań wiedział, że to jedyne miejsce, z którego nie mogę go wyciągnąć nawet szczotką. Bohatersko podjęłam kolejną próbę zmierzenia się z własnym odbiciem w lustrze w łazience, tym razem poszło lepiej. Do pracy dotarłam po godzinie. Dziwną atmosferę poczułam już na schodach, chociaż może to tylko wędrujące od żołądka do gardła wspomnienie po wczorajszej libacji. W sekretariacie było pusto. Mogę się założyć, że sekretarka widziała przez okno, jak wchodzę do budynku. Nie ma to jak asertywność. Kiedy pchnęłam przeszklone drzwi, wpadłam w gęstą ciszę – można się było w niej udusić.

– OK, moi drodzy, wiem wszystko, możecie dalej rozmawiać – rzuciłam w przestrzeń i zanim dotarłam do swojego boksu, świat wrócił do normy: Szymon ze składu awanturował się o braki w artykule, Paweł wykłócał się z korektorką o pisownię łączną imiesłowów z przeczeniem, a naczelna odgrażała się, że felieton o srających gołębiach ukaże się najwcześniej po jej śmierci. Piszczała tym swoim komicznym głosikiem: „Ja nie pozwolę szkalować tych biednych, bezbronnych istot! To przecież ptaki! One tu były przed nami!". Wszystko po staremu, oprócz tego, że zaraz mnie zwolnią. Anka pomachała mi ze swojego boksu i podniosła do góry kciuki.

– Pani Ado, proszę na moment do mojego gabinetu. – Adonis najwyraźniej nie planował długiej przyjacielskiej pogawędki. Kiedy już zamknął za nami drzwi i wskazał mi najbardziej niewygodne w całej firmie krzesło (wiedział, co robi, stawiając je u siebie), usadowił się na swoim tronie, po czym opierając łokcie na oparciach, złączył koniuszki palców obu dłoni.

Jak jeszcze zsunie okulary na czubek nosa, będzie wyglądał prawie jak idealna atrapa inteligentnego człowieka, pomyślałam sobie. O Boże, mam nadzieję, że tylko p o-m y ś l a ł a m...

– Pani Ado, jest pani bardzo zdolnym fotografem i świetnie mi się z panią pracowało, jednak nadchodzi taki czas w życiu każdego z nas, kiedy...

Wtedy właśnie poczułam pierwszą falę, która omal nie zmiotła mnie z krzesła. Żołądek wywrócił mi się do góry nogami i przez chwilę czułam, że tracę kontakt z rzeczywistością. Najmniej abstrakcyjną rzeczą w tym pokoju była koszula szefa, więc całą swoją uwagę skupiłam na złotej piramidzie, u stóp której siedział sfinks. W okolicy lewej kieszonki świeciło jaskrawożółte słońce, a wzdłuż guzików pięła się wysmukła palma. Długie, obramowane złotem liście, wachlujące liście, wiatr na twarzy. Druga fala spowodowała, że zacisnęłam mocniej palce na kolanach. Było coraz gorzej, nie wiedziałam, jak długo jeszcze wytrzymam, zanim... O nie, nie wolno mi o tym myśleć! Wiatr na twarzy, przyjemny cień rzucany przez palmę, skup się, jesteś na środku morza, nie!, nie morza, żadnego falowania, jesteś na środka jeziora, jesteś świątynią spokoju, wcieleniem idealnej harmonii ze wszechświatem, wokół ciebie chłodna toń wody, wszystko jest w porzą...

Wtedy przyszła trzecia fala.

Zdążyłam jeszcze usłyszeć: „Dlatego właśnie uważam, że nadszedł dla pani czas zmian, i w tej sytuacji" — reszty nie usłyszałam, nic zresztą dziwnego, bo nie dokończył. Urwał dokładnie w momencie, kiedy przechyliłam się gwałtownie w jego stronę, i...

– Wyrzygałaś się na niego?! – Anka oparła się o ścianę.

– Tak jakby – wymruczałam z czołem na cudownie chłodnej tafli lustra. Na karku miałam zimny kompres ze zmoczonej chusteczki, który jakoś trzymał mnie przy życiu.

– Ty to masz inwencję, dziewczyno. Jeszcze nigdy nie słyszałam o tak spektakularnej rozmowie końcowej. Jak zareagował? Co powiedział?

– Nic, chyba oniemiał, więc przejęłam pałeczkę i krótko oznajmiłam: „Oto, co o tym myślę. Rzucam tę pracę", no i wyszłam.

– Cudownie! Jestem z ciebie dumna! Właściwie wystarczyłoby, gdybyś ograniczyła się tylko do tych słów, bez... hm, dodatkowych efektów.

– Anka, to wszystko przez ciebie! – Auć, niepotrzebnie podniosłam głos. – To ty mnie wczoraj zaciągnęłaś na imprezę, ty mnie upiłaś, przez ciebie mam kaca.

– Ale czy ja kazałam ci wymiotować na szefa?

Uśmiechnęłam się pod nosem na wspomnienie wyrazu jego twarzy:

– Nie, to był imperatyw. Imperatyw moralny.

Nasz śmiech odbijający się echem w zbyt akustycznej łazience nie podziałał kojąco na ból głowy. Kiedy wreszcie stamtąd wyszłyśmy, na korytarzu stał cały zespół. Pierwsza odezwała się Justyna:

– Szef zniknął i dzisiaj już nie wróci. Zamówiliśmy pizzę i postaraliśmy się o to – skinęła głową w stronę biurka – żeby uczcić twoje odejście.

– Jesteście kochani. – Od razu poczułam się znacznie lepiej, przynajmniej dopóki nie spojrzałam na biurko. Stały na nim dwie kraty piwa. Momentalnie zniknęłam za drzwiami łazienki.

Ostatni dzień pracy zakończyliśmy oczywiście całą ekipą w ogródku Bunkra Sztuki. Do domu dowlokłam się koło drugiej nad ranem, a Kastrat nawet odrobinę się przesunął i zrobił mi miejsce na m o j e j poduszce na m o i m łóżku. Nie miałam już siły go stamtąd przeganiać. Pijaństwo zdecydowanie osłabia morale mego kota. Zasypiałam w błogim przeświadczeniu, że wszystko dobrze się ułoży, kiedy zapipczał telefon. SMS od Ewki. O tej porze?

– WYRZUCILAM GO Z DOMU.

Zdębiałam, ale najwyraźniej nie otrzeźwiałam, bo nie mogłam się w tym połapać.

– KOGO? – wystukałam lewym kciukiem.

– MEZA.

O Jezu, właśnie zaczęła się apokalipsa.

ROZDZIAŁ SZÓSTY,
CZYLI NIE MA MĘŻCZYZN IDEALNYCH,
CO I TAK NIKOGO NIE DZIWI

Następnego dnia zadzwoniłam do niej zaraz po śniadaniu, takich rozmów nie powinno się prowadzić na czczo, i umówiłyśmy się na kawę. Dzieciaki miała zostawić z mamą, której na szczęście nic nie powiedziała o Adamie. Przynajmniej na razie, bo z tego, co zrozumiałam z porannej rozmowy, wynikało, że nie zamierza przygarniać go z powrotem. Nie wyglądała za dobrze, raczej na kobietę opuszczoną niż wyzwoloną, czego oczywiście jej nie zasugerowałam.

– Tylko mi nie mów, że świetnie wyglądam – rzuciła zamiast powitania, kiedy z ciężkim westchnieniem klapnęła na krzesło. – Nawet przez telefon brzmię jak wrak człowieka, bo bez zastrzeżeń dali mi urlop.

Odczekałam, aż zamiesza cukier w kawie, płosząc tym samym parę gołębi wpatrującą się w nas sępim wzrokiem spod sąsiedniego stolika, wyjmie papierosy, które jednak po chwili namysłu schowa do kieszeni. Ludzie są czasami gorsi od gołębi i jednej nocy potrafią wysępić od człowieka całą paczkę. Tego ranka po raz pierwszy wyglądała na czterdziestkę, zmęczona twarz, drobne zmarszczki wokół oczu i makijaż ograniczony wyłącznie do podkładu dodały jej trochę lat, ale i wydobyły z niej cały urok, którego dotąd nie dostrzegałam. Najwyraźniej nie tylko ja – kiedy wstała na moment, żeby wyplątać się z szala narzuconego na nagie ramiona, wszyscy mężczyźni siedzący przy stolikach knajp wzdłuż całej ulicy odwrócili się w naszą stronę. Moja starsza siostra w spranych dżinach i zwykłej bawełnianej bluzce na ramiączkach, czyli w jej stroju do sprzątania, nagle z żony i matki przemieniła się w... o Boże... kobietę! Te seksowne zaokrąglenia, uwydatniane przez opiętą koszulkę, dotąd zawsze ukrywane pod żakietem albo luźną sukienką! Nie poznaję jej. Z rozpuszczonymi włosami, które zupełnie nieświadomie kokieteryjnie odrzucała na plecy, nagle przemieniła się w obiekt żądz wszystkich samców. I wiem, co mówię – nie patrzyli na nią bynajmniej jak na anioła, raczej wręcz przeciwnie. Wpatrywali się w najmniejszy ruch jej ciała, ocierali się wzrokiem o jej sylwetkę tak jak... Jak nikt nigdy na mnie nie patrzył. Miałam nadzieję, że zbyt długo tu nie posiedzimy, bo z każdą chwilą spadało mi poczucie własnej wartości.

— Ewka, powiedz mi wreszcie, co się wydarzyło.

— Nic, poza tym że ma romans. W pracy.

— Romans?! Twój mąż? Nie wierzę!

To absurd, jakby oznajmić, że ja jestem stworzona do życia małżeńskiego! Sprzeczność sama w sobie. Adam to cudowny, ciepły człowiek, może czasami trochę nudny i ma słabą głowę do alkoholu, ale to akurat można wybaczyć podporze rodziny, wcieleniu odpowiedzialności i wszelkich zasad moralnych tego świata. Jest prawym, porządnym obywatelem, mężem i ojcem, a także szwagrem pozbawionym może poczucia humoru, ale skoro zakochanym w mej siostrze, to o czym tu gadać. No właśnie: czy wciąż zakochanym? Romans? Coś mi się tu nie klei. Prędzej uwierzyłabym w to, że za młodu był seryjnym psychopatycznym mordercą. Z tą jego manią porządku...

– Od dłuższego czasu był jakiś dziwny, jakby rozdwojony. Do pracy wychodzi wymuskany, ogolony, pachnący, w idealnie wyprasowanych spodniach, ale po powrocie przebiera się w podarte sztruksy z wypchniętymi kolanami, wyobrażasz sobie? – jęknęła, zasłaniając dłonią oczy. I komu ona się żali? Mnie?! – Poza tym zaczął spóźniać się do domu. Dzwoni z komórki i tłumaczy się zebraniem albo nawałem pracy, a w sobotnie wieczory po prostu wychodzi. Beze mnie! Nie mówiąc dokąd! Wraca późno, w dodatku... – Urwała, głośno wzdychając.

– Tak?

Rozejrzała się niepewnie, czy nikt nie usłyszy, i nachyliła się nad stolikiem w moją stronę:

– No wiesz, zmęczony.

Moja cudownie pruderyjna siostra właśnie zakomunikowała mi między tymi trzema słowami, że jej małżonek wraca z sobotnich wieczornych eskapad zbyt zmęczony, by uprawiać z nią seks. No właśnie, seks.

– A jak często się kochacie? Ile razy w tygodniu?

Ewka głośno przełknęła łyk kawy:

– W tygodniu?!

– No dobra, w miesiącu?

Znów podniosła filiżankę do ust. To niewiarygodne, mieć faceta pod ręką siedem dni w tygodniu i nie uprawiać z nim seksu? To chore.

– Ty tego nie rozumiesz, po dwudziestu latach małżeństwa wszystko wygląda zupełnie inaczej. Nawet... nawet seks.

Ha! Dlatego właśnie ja nigdy nie wyjdę za mąż. Uczę się na cudzych błędach.

– Czy jesteś absolutnie pewna, że Adam ma romans? To, co dotąd powiedziałaś, wcale nie jest tego dowodem. Przyłapałaś go z kimś? Przyznał się? Cokolwiek?

– Wczoraj robiłam porządki i postanowiłam przejrzeć wszystkie szafy. Żeby sięgnąć do najwyższej szafki, w której zawsze trzymał swoje narzędzia, musiałam wziąć krzesło. I znalazłam poradnik z jakimiś dziwnymi technikami seksualnymi. Z ilustracjami... I bieliznę – dodała po chwili wahania. – Czerwoną, niemal przezroczystą, obszytą delikatnym puszkiem, z rozcięciem w kroczu. Nie moją.

– Ups, tak jakby mój uporządkowany, poprawny i stateczny szwagier jednak okazał się człowiekiem z krwi i kości.

– Co przez to rozumiesz? – zapytała mnie Ewka. Niech to szlag, a wydawało mi się, że tylko to p o m y ś l a ł a m. Znowu...

– Spójrz na tę całą sytuację z boku: mąż i żona po wielu latach wspólnego życia itepe. Ona ma dzieci, którym wciąż poświęca sporo uwagi, on jest tuż po czterdziestce i nagle odkrywa, że przekroczył już magiczną połowę życia i teraz została mu tylko równia. Równia pochyła, z której będzie się staczał coraz szybciej. Panikuje i postanawia zrobić coś, czego dotąd nie robił. Jedni idą na kurs spadochronowy, inni kupują sobie kabriolety, a jeszcze inni rzucają się w wir seksu. Nie z żoną, ona jest zajęta dziećmi. Rozumiesz?

Przez chwilę rozważała moje słowa, zupełnie jakby docierały do niej z opóźnieniem.

– Chcesz mi przez to powiedzieć, że tego, że mój mąż zdradza mnie z inną kobietą, w dodatku w tak perwersyjny sposób, mam nie brać osobiście, tak?

– No, skoro tak stawiasz tę sprawę... – Chyba trochę przesadziłam. Muszę się z tego wycofać. I było mnie pytać o radę? Przecież ja nie jestem mężatką, skąd mam wiedzieć, jak to jest? OK, skup się, wymyśl coś, co poprawi nastrój twojej siostrze, szybko. – A skąd masz pewność, że zdradza cię z kobietą? – Ewka podniosła na mnie spanikowany wzrok. To jednak nie był najlepszy pomysł, ale co ja na to poradzę? Staram się, jak mogę. – Żartowałam. To znaczy, że wczoraj przypadkiem znalazłaś książkę i bieliznę i wyrzuciłaś go z domu, tak? A rozmawialiście chociaż? Pytałaś go, co te rzeczy robią u was w domu?

– Tak. Nie. Nie.

– Słucham?

– Tak, wyrzuciłam go z domu po tym, jak odkryłam zawartość szafki. Nie, nie rozmawiałam z nim. Nie, nie pytałam go o to. Po prostu upewniłam się, że dzieci już śpią, położyłam książkę i te sprośne majtki na stole w kuchni, z kartką, na której napisałam, że nie chcę go więcej widzieć. I zamknęłam się w sypialni. Wrócił chyba przed północą, ale nie przyszedł do mnie. Rano nie było ani książki, ani bielizny, ani Adama. Pewnie poszedł do swojej kochanki.

– Rozszlochała się na dobre.

Boże, co za kobieta. Najpierw wyrzuca męża, a jak ten znika, to płacze. Nigdy nie zrozumiem mężatek. Dałam jej chusteczki, poszłam do baru po zimną wodę, a jak wróciłam, przy stoliku siedziało już trzech mężczyzn oferujących paczki chusteczek, dopytujących się, co się stało, i sugerujących, że z przyjemnością zawiozą ją do domu. Co się dzieje?! Ta sytuacja zaczyna mnie przerastać. Przegoniłam natrętów, odprowadziłam Ewkę do tramwaju i zręcznie uniknęłam odpowiedzi na pytanie o gazetę. Nie chciałam jej jeszcze dokładać moich problemów. Wszystko wyglądało na to, że będę musiała wziąć sprawę w swoje ręce i porozmawiać z Adamem. Jeśli się okaże, że nie jest wiarygodny, namówię Ewkę, żeby wynajęła detektywa fotografa, który pstryknąłby parę fotek udowadniających zdradę męża, i złożyła pozew o rozwód. Byle bydlak nie będzie psuł życia mojej siostrze! Nic z tego. I wtedy właśnie wpadłam na genialny pomysł. Przecież jestem fotografem. Penis mojego szwagra w wzwodzie to stanowczo zbyt wiele jak dla mnie, ale skoro nie przywiązuję się zbytnio do obcych penisów, to czemu by nie zarobić na tak obecnie dochodowym interesie? Pierwsze szlify w nowym zawodzie mogę przecież zdobyć, szkoląc się na... mym eks-szefie. Zawsze chciałam porozmawiać z jego żoną.

ROZDZIAŁ SIÓDMY,
W KTÓRYM ZNÓW POJAWIA SIĘ NADZIEJA
I PRZY OKAZJI TEN PRZEKLĘTY JOSÉ

— I jak tam pierwszy dzień na wakacjach? — Usłyszałam w telefonie głos Anki.

— Chyba raczej na bezrobociu.

— Dzwonię z pracy, wszyscy cię pozdrawiają i dopytują się, kiedy następne piwo.

— Jak znajdę pracę, moja droga, a raczej jak zarobię pierwsze pieniądze, bo w pewnym sensie pracę już znalazłam. Właśnie zostałam fotografem rozwodowym.

— Yyy, zamiast na ślubach będziesz pstrykać fotki na rozwodach? Myślisz, że ludzie chcą długo wspominać ten dzień?

— Oczywiście, dla większości to znacznie ważniejsza okazja niż ślub. Pomyśl tylko — odzyskujesz wolność po latach w kieracie. To jak drugie życie. A co do mego nowego zajęcia, wytłumaczę ci, jak się spotkamy.

— Może teraz?

— Przecież jesteś w pracy.

— Tylko ciałem, mój duch przebywa już na placu Nowym, gdzie konsumuje zapiekankę i przygotowuje się do pierwszej tego dnia dawki alkoholu. Jak tak dalej pójdzie, to czeka mnie śmierć kliniczna. Zdecydowanie muszę dołączyć ciało do ducha. Poza tym nie ma szefa, jeszcze się nie pojawił po niedzielnej przygodzie, więc zaraz mogę sobie przypomnieć, że mam umówione spotkanie w Radiu Kraków. – Po czym znacznie głośniej dodała: – O Jezu, ogromnie panią przepraszam. Zupełnie zapomniałam, że byłyśmy umówione na rozmowę. Już wsiadam w taksówkę i pędzę do pani. Będę dosłownie za siedem minut. – I zanim się rozłączyła, wyszeptała: – Na Nowym.

Było parę minut po pierwszej, jak tak dalej pójdzie, to nie zdążę zarobić na kawy i piwo na Kazimierzu. Z Krakowskiej z powrotem na plac, ten szlak powinni nazwać moim imieniem. Swoją drogą to ulica Józefa byłaby idealnym miejscem na otwarcie biura, muszę sprawdzić ceny wynajmu lokali. Tylko jak nazwać firmę? „Były pracownik popularnej gazety z chęcią zrobi zdjęcie twojemu mężowi, które na rozprawie rozwodowej zapewni ci idealny podział majątku"? Trochę długie, ale chwytliwe. Nagle potknęłam się na wystającej płytce chodnikowej, zręcznie omijając psią kupę, która zdradziecko czyhała na niewinnego przechodnia, i w tym samym momencie na drzwiach ujrzałam ogłoszenie: LOKAL DO SPRZEDANIA. To przeznaczenie! Szkoda tylko, że przemówiło przez kawałek gówna, to odebrało tej chwili całą mistykę. Drzwi były lekko uchylone, więc zanim weszłam, zajrzałam do środka przez zakratowane okno. Cholera, chyba się spóźniłam, właściciel lokalu albo agent biura nieruchomości, w panującym wewnątrz półmroku trudno było rozpoznać, pokazywał ze świeczką w ręku ściany jakiejś parce. Pomieszczenie nie wyglądało na zbyt duże, chyba że było jeszcze jakieś zaplecze, metraż więc idealny na moje potrzeby. Co oni tak długo tam robią? Zanim zdałam sobie sprawę, że muszę wyglądać naprawdę idiotycznie, przyciskając twarz do brudnych krat, płomień świeczki niebezpiecznie zbliżył się do drugiej strony okna i na moment mnie oślepiło. Zamrugałam kilka razy i pierwsze, co zobaczyłam, to twarz José za szybą. Odskoczyłam jak oparzona, ale było już za późno. Drzwi skrzypnęły i na ulicę wyszedł agent – na pewno agent, w świetle dziennym zawsze rozpoznam agenta – a za nim José z nieznaną mi dziewczyną.

– Ada, miło cię widzieć.

Miło? Naprawdę?

– Czyżbyś też była zainteresowana tym lokalem?

– Nie, po prostu przechodziłam i zaciekawiło mnie to puste miejsce.

N i g d y, ale to n i g d y nie przyznawaj się przed agentem biura nieruchomości, że zależy ci właśnie na tym miejscu. To zasada numer jeden.

– A my właśnie szukamy odpowiedniego lokum na knajpę. Ale przecież wy się jeszcze nie znacie – to jest Gloria, a to Ada.

Dziewczyna dopiero teraz wyjrzała zza pleców José i z uśmiechem wyciągnęła do mnie dłoń. To była chyba najpiękniejsza kobieta, jaką widziałam w swoim życiu. Ciężkie falujące włosy sięgały jej do pasa, czarne jak węgiel oczy patrzyły na mnie z ujmującą serdecznością. Miała raczej drobną budowę ciała, jak to Hiszpanka, a z każdego jej gestu emanowała zmysłowość. Była po prostu doskonała. Po raz pierwszy poczułam, że oddałabym niemal wszystko za jedną sesję fotograficzną z taką modelką. Dla niej mogłabym nawet zostać lesbijką!

– ¡Hola! ¿Qué tal?

– ¡Hola! Bien, gracias. Hablas español, es muy raro en Polonia, ale ja mówię po polsku, co jest jeszcze rzadsze w Hiszpanii, więc cię przebiłam. – Roześmiała się. Mówiła niemal tak dobrze jak José, ale jej obcy akcent był bardziej słyszalny.

To pewnie jego siostra, chociaż niezbyt są do siebie podobni, pomyślałam, wymieniając z nią uprzejmości. Okazało się, że chcą otworzyć na Kazimierzu knajpkę z hiszpańskim żarciem i winem. Małą, przyjazną i przytulną. Pewnie jeszcze gay & lesb friendly? Ach, jaki paskudny cynik ze mnie. Przez niego stanę się homofobką. Porozmawiałam z nimi przez chwilę, nie zdradzając się ze swoimi planami, ale zdążyłam zapamiętać numer telefonu do agencji, zamierzałam tam zadzwonić po kwadransie i umówić się na oglądanie lokalu jeszcze tego samego dnia. José podziękował agentowi za czas i obiecał, że odezwie się do niego, jak tylko coś postanowią. Wymachując czarną teczką, mężczyzna pod krawatem oddalił się w stronę Starowiślnej, a my dalej staliśmy w tym samym miejscu. Zupełnie jakby to był pojedynek na przetrzymanie – kto pierwszy odejdzie, nie dostanie lokalu. Niestety, zadzwoniła Anka, dopytując się, gdzie, do jasnej cholery, się włóczę i jaką chcę zapiekankę, bo właśnie stoi przy okienku. Jeśli nie uda mi się z tym lokum – to przez nią. Skręcając w stronę placu, odwróciłam się i pomachałam Glorii i José, wciąż tam stali, cholera.

– Hepaham, ale byham ju hodna – wymamrotała Anka, połykając właśnie kęs zapiekanki. – Uważaj, jeszcze gorąca.

Nie wiem, kto wymyślił zapiekanki, ale był geniuszem. Drugi geniusz przyrządza je na placu Nowym. Doskonała kombinacja pokrojonych w talarki pieczarek, sera żółtego, ketchupu i sosu czosnkowego tworzy niepowtarzalny smak, którego nie jest w stanie zastąpić żadna kuchnia hiszpańska. Właśnie, sos czosnkowy.

– Co się stało, że jesz zapiekankę z sosem? Marta wyjechała?

Bogu dzięki, że mnie oświecił i przypomniał, jak ma na imię aktualna przyjaciółka Anki. Kiedy widziałam ją ostatnim razem, czyli chyba w Pauzie, jedyne, co kołatało mi się w głowie na jej widok, to sos czosnkowy. Marta nie znosiła czosnku, więc Anka, która uwielbiała zapiekankę w pełnym zestawie, rezygnowała dla niej z sosu. Cóż, miłość to jedno wielkie wyrzeczenie.

– Tak, na zawsze.

– Co? Rozstałyście się? Kiedy? Czemu nic mi nie powiedziałaś?

– No przecież mówię, prawda? – Oblizała palce umoczone w sosie. – W nocy miałyśmy rozmowę pożegnalną, a dziś rano spakowała swoje rzeczy i się wyniosła.

– Ale dlaczego?! Myślałam, że było wam razem dobrze.

– Poświęcenie, z jakim oddawała się jedzeniu, opowiadając o utracie miłości jej życia, wyprowadziło mnie nieco z równowagi.

– Złamała mi serce – odpowiedziała po chwili, mlaskając. – Podobno poznała inną i zakochała się. Nie chcesz jeszcze jednej zapiekanki? Szkoda, sama nie będę jadła. Teraz pozostaje mi tylko ukoić ból. Idziemy na piwo?

Nie po raz pierwszy widzę ją w takiej sytuacji, ale dopiero dziś dostrzegłam tę kolosalną różnicę w zachowaniu mojej siostry i przyjaciółki. Wbrew pozorom Anka nie jest istotą pozbawioną serca, która wspomnienie po każdej z miłości zagryza i popija, racząc towarzyszącą jej osobę zgryźliwymi uwagami. To był po prostu jej sposób radzenia sobie z osobistymi tragediami – jak najbardziej zracjonalizować, odstawić na bok i przyjrzeć się temu z dalekiej perspektywy. Zawsze chciałam się tego od niej nauczyć, ale spokojne analizowanie gwałtownych załamań losu wychodziło mi tylko i wyłącznie wtedy, kiedy los nie był mój. A szkoda, ta umiejętność nieraz by się przydała. Tym bardziej że jak już Anka na chłodno przeanalizuje całą sytuację, dopuszcza ją z powrotem do siebie i opłakuje we własnych czterech ścianach, ale bez darcia włosów z głowy. Zresztą szkoda by ich było. Są prawie tak piękne jak Glorii. Potem otrzepuje się ze złych przeżyć i znów jest gotowa zmierzyć się z całym światem. To jedyna osoba, którą znam, wychodząca zwycięsko z konfrontacji z byłymi partnerkami. Hm, a gdybyśmy tak połączyły siły? Ja pomagałabym kobietom wygrać sprawę rozwodową, a Anka prowadziłaby kurs radzenia sobie z rozpadającym się związkiem. OK, teraz to już potrzebujemy tylko księgowej.

Kiedy uznałam, że zakończyła już temat Marty i nie będzie chciała więcej do niego wracać, przystąpiłam do wyłuszczenia jej mojego, to znaczy n a s z e g o, planu zarobkowania. Siedziała, potakując głową, przynajmniej do momentu kiedy wspomniałam jej o lokalu na Józefa.

– Dziewczyno, nie masz pracy. Skąd weźmiesz na to kasę? Żaden bank nie da ci kredytu bez gwarancji, że go spłacisz.

– Mnie nie, ale tobie tak.

Wykorzystałam moment, kiedy Anka wciąż patrzyła na wszystko z dalekiej perspektywy, i udało się! Zapaliła się do mojego pomysłu i kazała mi od razu dzwonić do agenta.

Ona weźmie kredyt, zrobimy szybki remont i ruszamy na podbój świata! No, początkowo Krakowa. Filie pootwieramy z czasem we Wrocławiu, w Warszawie i może Trójmieście. Wszak popyt na rozwody wciąż rośnie. Wystukałam numer z pamięci, minęła wieczność, zanim ktoś po drugiej stronie podniósł słuchawkę.

– Dzień dobry, dzwonię w sprawie lokalu na ulicy Józefa. Chciałam się dowiedzieć, czy jeszcze dziś mogę się umówić na obejrzenie tego miejsca.

– Tak, oczywiście. Bardzo proszę o pani numer telefonu. Oddzwonię, jak tylko skontaktuję się z agentami, którzy są w tej chwili na mieście, i ustalę, o której godzinie ktoś będzie mógł tam podskoczyć, dobrze?

– Świetnie, jestem niedaleko Józefa, więc mogłabym umówić się nawet w tej chwili.

Anka przyniosła drugą kolejkę i wzniosła toast za naszą przyszłość. Za to trzeba wypić!

Czekając na telefon, opowiedziałam jej o spotkaniu z José i z fenomenalną Glorią. Zastanawiałyśmy się, czy jest biseksualny, być może chłopiec w satynowych stringach w niczym nie przeszkadza namiętnemu romansowi z piękną Hiszpanką. Przypomniała mi się dłoń José gładząca Kastrata na mojej kanapie... To by otwierało pewne możliwości... Dla mnie... Teraz to już i tak bez różnicy – jeśli kupimy ten lokal, José mnie znienawidzi. I dobrze, związki z biseksualistami nie są zdrowe. Przedstawiałam pokrótce Ance perypetie miłosne, a raczej małżeńskie mojej siostry. Z litości nad Ewką nie wspomniałam ani słowa o jej częstotliwości uprawiania seksu, ale moje uczucia siostrzane nie powstrzymały mnie bynajmniej przed zatajeniem historii o książce i bieliźnie. Pożałowałam, że nie dopytałam się jej o ten poradnik, bo co niby miało znaczyć „dziwne techniki seksualne"? O ile znam pruderię mej siostry, w grę mogłyby wchodzić wszystkie inne pozycje niż klasyczny sposób na szybkie zapłodnienie. Któregoś wyjątkowo upalnego lata, jak się upiła na stypie po stryju w małej, obskurnej knajpie we wsi pod Poznaniem, wyznała mi z pijackim oburzeniem, że tydzień przed jej urodzinami Adam przyniósł do ich sypialni katalog z miłosnymi zabawkami i zaproponował, by wybrała sobie coś na prezent. Ponoć nie odzywała się do niego przez dwa tygodnie, a urodziny spędziła z dziećmi u matki, bez męża. Biedak, i tak pewnie sporo kosztowało go samo przyniesienie katalogu do domu, a po takiej reakcji Ewki każdy erotyczny sen z żoną w roli głównej, przypiętą do łóżka różowymi pluszowymi kajdankami, musiał być koszmarem. Jeśli rzeczywiście znalazł kogoś, komu bardziej do twarzy w różowym, to wcale mu się nie dziwię. Ale jak to wytłumaczyć siostrze? A niech już lepiej wezmą ten rozwód, będzie spokój.

– Nie byłby z ciebie najlepszy terapeuta rodzinny – z nutą sarkazmu w głosie zauważyła Anka.

– Z ciebie za to idealny, a marnujesz się w marketingu jakiejś tam gazety. – To była prawda, którą próbowałam wpoić jej od dobrych dwóch lat, ale na próżno. Skończyła psychologię, ma znakomity kontakt z ludźmi, ale twierdzi, że w Polsce nikt nie przyszedłby do niej na terapię rodzinną, bo lesbijki w tym kraju nie wzbudzają zaufania. A ona nie zamierza się ukrywać przed innymi.

Obie podskoczyłyśmy, kiedy zadzwonił telefon. Na wyświetlaczu pojawił się numer telefonu agencji.

– Gotowa?

– Gotowa.

– No to odbierz ten cholerny telefon, zanim się rozmyślą.

Anka obserwowała w skupieniu moją twarz, bo ze strzępków rozmowy niewiele mogła wywnioskować, prawdopodobnie odjęło mi mowę, gdyż odpowiadałam tylko monosylabami. Zbiłabym fortunę na grze w pokera – na mym kamiennym obliczu nie drgnął żaden mięsień.

– No i? – niecierpliwie zapytała, kiedy odłożyłam telefon.

– Za późno. Już ktoś kupił. Przed chwilą.

– Kurwa mać.

Tylko kurwa? Zajekurwabiście, kurewski fajerwerk chujowego losu specjalnie dla pojebańców życiowych. No po prostu KURWA MAĆ!!! I jak ja mam wziąć sprawy w swoje ręce i zacząć nowe życie, kiedy ktoś mi rzuca kłody pod nogi? Mam nadzieję, że ten parszywy lokal jest zagrzybiony i pełno w nim karaluchów i myszy. Że wybije kanalizacja, a sąsiedzi będą mu uprzykrzać życie. Temu, który to kupił. Ha, nie tylko ja dostałam po nosie, przynajmniej José też nie zdążył. Sprawiedliwość jednak istnieje na tym świecie, przynajmniej w zalążku.

ROZDZIAŁ ÓSMY,
W KTÓRYM...

Skoro plany związane z moją firmą chwilowo nie wypaliły, postanowiłam uruchomić stare znajomości. Trzeci dzień bez pracy niespecjalnie dobrze wpływa na stan mych finansów. Obdzwoniłam wszystkich, z którymi niegdyś współpracowałam jako *freelancer*, przynajmniej dopóki nie zaangażowałam się w życie gazety, gdzie z samego fotografa przekwalifikowałam się na dziennikarza i fotografa w jednym. Jakkolwiek by na to patrzeć, powiększyłam swe kwalifikacje, więc czemu wszyscy spławiali mnie przez telefon? Po piętnastu rozmowach zakończonych nieśmiertelnym: „Odezwiemy się do ciebie", odłożyłam telefon. To bez sensu. Chyba przyjdzie mi poszukać pracy w jakimś brukowcu... Zrezygnowana, zaczęłam robić porządki w mieszkaniu. Niewiele właściwie miałam do roboty, chaos jest niejako moim środowiskiem naturalnym, w którym świetnie się czuję. Jedyne ustępstwo na rzecz wychowania przez wielbiącą porządek matkę to wydzielenie w pokoju osobnego kącika na kanapę. Kiedy nie chce mi się już patrzeć na graty rozrzucone wśród zdjęć i książek, wygrzebuję sobie lekturę, odgradzam się od reszty świata drzwiami, za którymi tylko mała lampka, kanapa i spokój. Na ścianie we wnęce powiesiłam sobie ogromne zdjęcie, które niegdyś zrobił jeden z moich eks. Panoramiczne ujęcie lasu. Brakowało tylko ćwierkania ptaków i zapachu żywicy, poza tym czułam się tu jak na polanie, nie ruszając się wcale z mojej cudownie wygodnej białej kanapy. Wystarczyło tylko zasunąć drzwi i już robiło się cicho. Przynajmniej do czasu kiedy w szparze pojawiał się pierwszy pazur Kastrata, potem drugi i cała łapka, wreszcie kocur lądował mi na kolanach. Kanapa czasem przydawała się i do innych celów, ale wtedy kot miał całkowity zakaz wstępu. Teraz musiałam się jednak skupić na chaosie, zasunęłam więc kuszące spokojem i relaksem drzwi, stając oko w oko z bałaganem. Dobrze, że mieszkam sama, przynajmniej nie znajdę jak Ewka czyjejś bielizny we własnej szafce. Przy okazji odkopałam kartony ze starymi zdjęciami, które robiłam jeszcze przedpotopową smieną. I tak właśnie zleciało mi całe wtorkowe popołudnie, siedziałam na ziemi wokół stosów fotek, Kastrat szalał między pustymi pudełkami, a mnie kręciła się niejedna łezka w oku z tęsknoty za czasami, w których robiłam to, co uwielbiałam, za zwyczajnym robieniem zdjęć i wywoływaniem ich w prowizorycznej ciemni, którą zainstalowałam we własnej łazience. Nikt mi nie mówił, co mam fotografować, znikałam z domu z aparatem i tylko jednym obiektywem na długie godziny, a nocami wywoływałam filmy. Najwięcej chyba jednak robiłam wówczas portretów spotykanym przypadkowo ludziom. Mówiłam im, że jestem studentką fotografii i odrabiam właśnie pracę domową, to przełamywało ich wszelkie opory. Czarno-białe zdjęcia, zbliżenia na twarz albo dłonie, detale. Z rzewnych wspomnień wyrwał mnie nagle niepokojący dźwięk rozdzieranego papieru. Rozdzieranego przez kocie pazury. Odwróciłam się i zamarło mi serce – ta hiena wlazła do kartonu, w którym wciąż jeszcze były fotografie, i urządziła sobie niezłą zabawę: jak w najszybszym czasie zniszczyć moje najpiękniejsze zdjęcia. Wrzasnęłam na Kastrata i wykopałam go z pudełka, ale było już za późno – te, które wciąż były całe, i tak zostały porysowane pazurami. Niech ja tylko cię dorwę, bydlaku, przemknęła mi przez głowę nader krwawa myśl, a nie wyjdziesz z tego żywy. Zdaje się, że sztukę telepatii opanował do perfekcji, bo natychmiast zerwał się z głośnym miauknięciem i pognał w stronę kanapy. O nie, mój drogi, tym razem ci się nie uda – w ostatniej chwili zasunęłam drzwi.

– Teraz już mi nie uciekniesz! – zasyczałam, a kotu zmierzwiła się sierść i momentalnie napuszył ogon. – Ktoś zaraz zginie, i na pewno nie będę to ja! – Skoczyłam na niego z gazetą zwiniętą w rulon. Czmychnął pod stół, stamtąd dał susa na parapet, strącając doniczkę z benkiem. Chyba przestraszył się huku, z jakim doniczka rozbiła się na podłodze, bo nagle z wrzaskiem wskoczył na regał z książkami. O nie, jak rozhuśta ten mało stabilny regał, to wszystkie książki...

Nie zdążyłam nawet dokończyć tej apokaliptycznej myśli, kiedy trzysta sześćdziesiąt woluminów runęło z łoskotem na ziemię, przygniatając to, czego zapomniałam podnieść z podłogi. Mój zazwyczaj zagracony pokój zamienił się w pobojowisko. Na zawieszonych zdjęciami ścianach brakowało tylko plam od krwi i fragmentów zwłok, ale zaraz to nadrobię. Zapadła przeraźliwie głucha cisza, którą po sekundzie przerwał dzwonek do drzwi. Pewnie ta megiera z naprzeciwka. Mój bojowy nastrój jeszcze nie minął, skoro byłam gotowa przelać złość z kota na sąsiadkę. Otworzyłam z rozmachem drzwi, nawet nie zerkając wcześniej przez judasza, i znalazłam się oko w oko z przystojnym mężczyzną koło trzydziestki, który na smyczy trzymał białego pitbulla.

– Przepraszam bardzo, że przeszkadzam, ale akurat schodziłem z góry i usłyszałem krzyki, a potem straszny hałas. Postanowiłem sprawdzić, czy u pani wszystko w porządku.

A, to jest pewnie ten nowy sąsiad, o którym wspominała ostatnio megiera. Bardzo miły, bardzo.

– Nie, to tylko małe zamieszanie z kotem, który trochę poprzestawiał mi meble. Nic się nie stało, ale dziękuję za troskę. Naprawdę doceniam odpowiedzialnych mężczyzn. – Wyszczerzyłam się do niego jak idiotka. „Odpowiedzialnych" to było pierwsze słowo, które przyszło mi do głowy w miejsce „seksownych". Mam doprawdy dziwne skojarzenia.

Sąsiad okazał się przemiłym człowiekiem, uśmiechał się czarująco i już niemal miał zapytać, czy nie wpadłabym do niego na kawę, kiedy jego pieseczek wyszczerzył zęby. Na mnie.

– Misiu, co ty wyprawiasz? – Przystojniak szarpnął smyczą.

Misiu? To krwiożercze bydlę miało na imię Miś?! Cóż, Miś jak to miś nie schował jednak zębów, a do tego dołączył wrogi warkot, który wydobywał się gdzieś z jego trzewi, a kończył między ostrymi kłami. Poczułam się jak dziewica w klatce z rozszalałym lwem, przystojniak wszak mnie zapewne uratuje, a ja z wdzięczności oddam mu swe dziewictwo. Coś miękko musnęło moją nogę. Spojrzałam w dół i ujrzałam Kastrata ciekawie wyglądającego zza mojej nogi na intruzów.

– O, koteczek, dlatego Miś jest taki nerwowy. – Sąsiad uśmiechnął się uwodzicielko (ja, ja, uwiedź mnie!). Coś jeszcze chciał dodać, ale jego słowa utonęły we wrzasku. Szczekanie i miauczenie zlały się w jedno, podobnie jak nasze zwierzaki. Smycz z olbrzymią siłą wyskoczyła facetowi z ręki, omal nie wyrywając mu kciuka. Staliśmy tak we dwójkę zupełnie oniemiali przed moimi drzwiami, podczas gdy na schodach kotłowała się gromada wściekłych psów rozrywających mojego koteczka. Sąsiad rozcierał dłoń, ale najwidoczniej nie miał odwagi powstrzymać swojego kundla przed zeżarciem Kastrata. Kastracik, mój kochany koteczek, przecież nic z niego nie zostanie. Nawet kosteczka. Ciekawe, co zrobi nowy sąsiad, żeby mnie pocieszyć, pomyślałam na widok wirujących w powietrzu strzępków sierści. Zaraz, zaraz, to była biała sierść. Czyżby Kastrat...? Miś przeraźliwie zawył i kotłowanina zastygła nagle w całkowitym bezruchu. Zakrwawiony pitbull z rozdartym uchem i śladami po pazurach na pysku leżał na grzbiecie, a na jego brzuchu w zwycięskiej pozie stał mój kot, wbijając mu pazury w miękkie podbrzusze i zaciskając zęby na jego gardle. Dobry koteczek! Pies zaskomlał żałośnie i rzucił błagające o pomoc spojrzenie w stronę pana.

– Ależ, ależ – sąsiad się chyba zapowietrzył, wciąż nerwowo trąc dłoń – to nie kot, to bestia, morderca! Proszę go w tej chwili stąd zabrać. On zabije mojego Misia! Co za psychopatyczne zwierzę, jak go pani wychowała? – Podszedł do zwierzaków, chcąc zapewne uratować pupilka, nieszczęśnik. Kastrat spojrzał na niego jednym okiem i zasyczał. To wystarczyło, by mężczyzna krzyknął i schował się za moimi plecami, dygocąc jak w gorączce.

– Kochanie, idziemy do domu – rzuciłam do Kastrata, odsuwając sąsiada na bok. – Już dość tej zabawy z pieskiem. – Otworzyłam szerzej drzwi do mieszkania i przepuściłam wolno kroczącego kota. Weszłam tuż za nim, posyłając szeroki uśmiech przerażonemu przystojniakowi i pomachałam mu na do widzenia.

– Dzięki za przysługę, krwiopijco – mruknęłam już w pokoju, gdy leżąc na fotelu, wylizywał sobie futro. – Właśnie sprzątnąłeś mi sprzed nosa całkiem poważnego kandydata do roli tego jedynego. A przynajmniej pomocnika do sprzątnięcia tego syfu.

Kastrat spojrzał na mnie, po czym nie spuszczając ze mnie wzroku, skupił się na czyszczeniu pazurów. Świetnie, teraz jeszcze do wydatków doszedł nowy regał na książki. A może by tak po prostu to wszystko spalić? Spod słownika polsko-hiszpańskiego wystawał kawałek podartego zdjęcia. Spojrzałam na pół twarzy jakiegoś staruszka, którego złapałam kiedyś na Zabłociu, i nie mogłam przestać o niej myśleć. Wyciągnęłam z szafy w przedpokoju lekko zakurzonego zenita, założyłam rolkę filmu i po prostu wyszłam z domu.

Zupełnie bezwiednie poszłam w stronę Wisły. Coś ciągnęło mnie na Zabłocie, ale było już trochę późno, powoli zmierzchało, a ja wolałabym nie znaleźć się sama po zmierzchu w tamtym rejonie. Wbrew temu, co myśli o mnie moja matka, zachowałam jednak resztki zdrowego rozsądku. Szłam bocznymi uliczkami, pstrykając od czasu do czasu zdjęcia przechodzącym ludziom i grze światła i cienia na opustoszałych kamienicach. Za każdym razem kiedy zobaczyłam coś wartego uchwycenia na filmie, poprawiał mi się nastrój – kobiecie czasami niewiele potrzeba. Zadecydowałam, że ten wieczór wart jest butelki dobrego wina, i skręciłam w główną ulicę, wpadając przy okazji na dziesięcioletnią dziewczynkę, moją...

– Ciociu! Co tu robisz? Pójdziesz z nami na lody?

Moją jak zawsze rozentuzjazmowaną siostrzenicę. Za nią biegły już dwa inne małe potwory: jedenastoletni Jędrek i siedmioletni Staś, który wysokim głosikiem krzyczał w stronę długiej kolejki do lodziarni:

– Babciu, babciu, Ola znalazła ciocię Adę!

Teraz zatem wszyscy na ulicy Starowiślnej znali już moje imię, uff, a tak się bałam, że na zawsze zostanę tu anonimowa. Ola chwyciła mnie za jedną rękę, drugą odpędzałam się od Stasia, który czatował na mój aparat, i jednocześnie odpowiadałam na skomplikowane pytania pierworodnego Ewy, aż w końcu niepostrzeżenie stanęłam przed moją matką.

– Stoimy w kolejce już piętnaście minut, ale skoro obiecałam wnukom lody, to je dostaną.

Nuta desperacji w jej głosie kazała mi się domyślać, że chyba jednak coś wie o problemach Ewy i Adama, w przeciwnym razie pewnie nie zgodziłaby się na zatrzymanie u siebie dzieciaków przez cały dzień. Ta trójka potrafiłaby wyprowadzić z równowagi nawet Matkę Boską, zwykła mawiać moja mama, która nigdy nie śmiała konkurować ze świętym obliczem, usprawiedliwiając przy okazji brak chęci do opieki nad wnukami. Ja robiłam to bardziej bezpośrednio, nie odwołując się do religii – oznajmiłam Ewce, że jeśli chce, bym kochała mych siostrzeńców, pod żadnym pozorem nie może ich ze mną zostawiać dłużej niż

na godzinę. Skutkowało. Dzięki temu wciąż byłam uko-
chaną ciocią trójki urwisów i darzyłam ich czymś na kształt
sympatii graniczącej z kontrolowanym uwielbieniem. Przy
okazji udało mi się załapać na lody za stosunkowo niewy-
górowaną cenę – spacer z matką i dzieciakami nad Wisłą.
Opowiedziałam im o pojedynku, jaki stoczył ich ulubie-
niec, Ola z wrażenia zgubiła jedną gałkę loda, a Staś po-
płakał się ze śmiechu. I jak ich nie kochać? Jakimś cudem
wypstrykałam tego wieczora cały film, namawiając całą
czwórkę na nietypowe pozowanie do zdjęć. Nawet moja
mama nie miała oporów, kiedy dzieci obsypały ją świeżo
ściętą trawą. Odprowadziłam ich do domu, podobno Ewa
miała odebrać dzieciaki dopiero po dwudziestej drugiej –
co ona, swoją drogą, robi przez cały dzień? Zostałam oczywiście jeszcze na herbacie i wracałam do domu ostatnim
tramwajem całkowicie trzeźwa i jakby szczęśliwa.

ROZDZIAŁ DZIEWIĄTY,
CZYLI PRZEKLĘTA SOLIDARNOŚĆ JAJNIKÓW

Po zrobieniu porządku w kartonach ze starymi zdjęciami czekało mnie jeszcze przejrzenie plików w komputerze, gdzie gromadziłam początkowo skanowane fotki, a potem te robione cyfrówką. Część wyrzuciłam, ale te, które były coś warte, powysyłałam tym samym ludziom, z którymi rozmawiałam poprzedniego dnia. Czas na kolejne uderzenie. Ja nie poddaję się tak łatwo! Dopiero miauczenie głodnego Kastrata oderwało mnie od komputera. Coś mu się chyba apetyt wyostrzył po wczorajszej bitwie, bo oczywiście zeżarł cały zapas jedzenia. W dodatku zrobił się bardziej asertywny i przestało mu wystarczać podrzucanie pustej miski, przynosił ją w zębach i zrzucał mi na stopy, idealnie celując zawsze w mały palec. Zrozumiałam to niezbyt subtelne przesłanie i zeszłam do sklepu po kocie chrupki. Na klatce spotkałam sąsiada z psem, obaj zachowali całkowitą powściągliwość wobec mnie, przy czym ten pierwszy sztywno się ukłonił, a drugi stulił uszy. Biedak, wciąż nie wyglądał najlepiej. Otworzyłam z rozmachem drzwi do małego spożywczaka naprzeciwko mojej kamienicy, a te nieoczekiwanie stawiły mi opór. Zupełnie jakby zatrzymały się na czymś miękkim... Po sekundzie usłyszałam jęknięcie. Jezu, znowu kogoś znokautowałam. Zdarza mi się to średnio raz na tydzień, sąsiedzi, którzy widzą, jak zmierzam w stronę sklepu, najczęściej zmieniają zdanie i omijają go z daleka albo nagle odczuwają gwałtowną potrzebę wypalenia na zewnątrz papierosa. Cóż, najwyraźniej tym razem nie załatwiłam sąsiada. To musiał być ktoś obcy. To był...

– José?! Nic ci się nie stało?

– A już myślałem, że jesteśmy kwita po tym, jak odwiozłem cię do domu. – Z bolesną miną rozcierał czoło.

– Przepraszam, ale powinieneś pamiętać o tym, że w pobliżu Miodowej nigdy nie będziesz bezpieczny. Ta zasada nie dotyczy tylko mojej przyjaciółki, cała reszta znajomych ryzykuje uszczerbek na zdrowiu.

To prawda, zadziwiająco często wszystkich moich znajomych spotykały tu różnego kalibru katastrofy, od złamania obcasa po potrącenie, na szczęście niegroźne, przez samochód. Wszystko na mojej ulicy, im bliżej mieszkania, tym częściej i dotkliwiej, co nie dotyczyło dziwnym trafem Anki. Ona bywała u mnie często i nigdy nic złego jej się nie przydarzyło. Nic, oprócz mnie.

– Skoro to zasada, to nie powinnaś mnie przepraszać, bez twego udziału przydarzyłoby się pewnie to samo. – I zanim zdążyłam przyznać mu rację, dodał: – To może dla równowagi zaprosisz mnie na kawę? Mam wolną godzinę i nie bardzo wiem, co ze sobą zrobić. No, chyba że jesteś zajęta...

Nie bardzo miałam chęć na kawę w towarzystwie José, ale przypomniały mi się książki wciąż zalegające na środku pokoju. Przynajmniej mi pomoże. A skoro raz udało mu się obłaskawić Kastrata, warto sprawdzić, czy było to działanie trwałe, więc zaprosiłam go do siebie. Kiedy otwierałam bramę zwizualizowały mi się kocie chrupki, o których na śmierć zapomniałam. Wcisnęłam José resztę zakupów i klucz do mieszkania, polecając, by wszedł i rozgościł się, a sama poleciałam po żarcie, na które miał ochotę rzucić się koteczek. O ile oczywiście nie skonsumuje do tego czasu mego gościa. Pani ze spożywczaka mrugnęła do mnie porozumiewawczo i szepnęła życzliwie:

– Takie numery zawsze skutkują, proszę panią. Czasami na tych chopów trzeba wleźć, żeby kobitę zauważyli.

Posłałam jej wiele mówiący uśmiech i czym prędzej czmychnęłam do domu. Chyba od jutra zmienię sklep. Przystanęłam pod drzwiami, nasłuchując. Cisza. Albo już go zeżarł, albo... Weszłam cicho do środka, tym razem José siedział na podłodze, przeglądając książki, a na jego kolanach błogo rozparty kot mruczał zadowolony z samej bliskości dłoni, która nie tak dawno temu tak miło go głaskała. José, szkoda, że jesteś gejem...

– O, jesteś. Właśnie się zastanawiałem, gdzie ci poukładać te książki.

... ale przynajmniej uczynnym.

Nasypałam Kastratowi chrupków, przyszedł do michy niezbyt chętnie i jadł tak, żeby ani na moment nie stracić José z oczu. To chyba pierwsza miłość mojego kota. Dobrze, że platoniczna. Zrobiłam nam kawę i zaczęliśmy układać książki, ale z każdą z nich wiązała się jakaś historia, jeśli nie moja, to moich przyjaciół, więc układanie trwało w nieskończoność. Kiedy już większość poustawialiśmy w kupkach pod ścianą, miałam wrażenie, że znamy się z José jak łyse konie. Nawet z rozpędu opowiedziałam mu o tym, że wyrzucili mnie z pracy i że przymierzam się do otworzenia własnego interesu. Przyznałam mu się też do tego, że zamierzałam kupić lokal na Józefa właśnie na potrzeby mojej firmy, ale, jak sam już pewnie doskonale wie, ubiegł nas jakiś skurwiel. Wiedział doskonale, o czym mówię, bo minę miał nietęgą, więc zmieniliśmy temat. Opowiadał mi trochę o Hiszpanii i o tym, dlaczego zdecydował się przyjechać jako lektor do Polski. Podobno jego babka miała przed wojną romans z Gombrowiczem w Argentynie, na tyle płomienny, że specjalnie dla niego nauczyła się polskiego. Nie chciało mi się w to wierzyć, ale to, co mówił José, brzmiało dość sensownie, poza tym tak zajmująco opowiadał, że nie było sensu podważać jego słów. Potem zakochał się, jak się przyznał z nieśmiałym uśmiechem, w brzmieniu naszego języka i przyjechał tutaj na studia. Został lektorem hiszpańskiego, bo to najłatwiejszy sposób zarabiania, przynajmniej na razie. Zupełnie niepostrzeżenie przysunęłam się bliżej niego. Nie mogę się zarzekać, że zrobiłam to nieświadomie, bo byłaby to nieprawda. Coś ciągnęło mnie w jego stronę. Patrzył na mnie przez cały czas tymi wilgotnymi ciemnymi oczami, a we mnie topniało przekonanie, że jest gejem. Może to był tylko zbieg okoliczności, wtedy w Kitschu? – pomyślałam gorączkowo. Może po prostu go o to zapytam? Jakoś ani słowem nie wspomniał o tym, że zadaje się z chłopcami. Poza tym, jak się go bliżej pozna, to wcale nie wygląda na geja. Z tym trochę za długim nosem i grzywką wciąż opadającą mu na prawe oko, chociaż nieustannie odgarnia ją do tyłu, idealnie przyciętą bródką i długimi palcami... Ach, nadawałby się na plakat. Boże, to zbyt skomplikowane, może po prostu go pocałuję. Jak mnie trzaśnie w gębę, to znaczy, że jest innej orientacji i ma mnie za zboczeńca, a jeśli nie... Tu otwierało się wiele bardzo przyjemnych możliwości. Siedziałam na podłodze tuż z nim, podając mu systematycznie książki, a on mówił o tym, że chciałby już otworzyć swoją knajpę, ale jeszcze chwilę mu to zajmie, bo Gloria... Raptem odwrócił się w moją stronę i gwałtownie urwał. Nasze twarze były dosłownie o kilka centymetrów od siebie, czułam jego oddech.

– Ada, muszę ci coś powiedzieć – zaczął cicho jakoś zbyt poważnym tonem.

Nie wytrzymałam tego napięcia, nie mogłam już dłużej czekać!

– Jesteś gejem?

– Nie. – Był lekko zdezorientowany. – Chodzi o to, że wczoraj, jak się spotkaliśmy na Józefa, Gloria i ja, my razem...

Nie musiał kończyć, wiedziałam doskonale, co chce mi powiedzieć, ale bynajmniej nie zamierzałam tego słuchać. Na szczęście zadzwonił jego telefon. Chyba nie chciał odbierać, bo się ociągał z wyjmowaniem go z kieszeni, ale kiedy spojrzał na wyświetlacz, zmienił zdanie. Wyszedł do kuchni i dopiero tam zaczął rozmawiać po hiszpańsku. Pewnie dzwoniła jego narzeczona. Fantastycznie, to się nazywa z deszczu pod rynnę, nie jest gejem, ale ma dziewczynę, i to najpiękniejszą dziewczynę pod słońcem. Włączyłam radio, żeby uniknąć pokusy podsłuchiwania ich rozmowy. Byłam na siebie piekielnie zła. Po co mi się tu wpraszał na kawę, skoro ma kogoś, kto mu strzyże tę jego przeklętą bródkę? I to pewnie jeszcze w negliżu albo bez... Myślenie o Glorii bez ubrania doszczętnie mnie pogrążyło. Choćbym nawet chciała, to i tak nie mam co z nią konkurować. To już czwarty dzień plagi klęsk. Kiedy to się skończy?!

– Przepraszam, ale muszę uciekać. To pilne. Dokończymy naszą rozmowę innym razem, dobrze? – Zbierał się w pośpiechu. Jasne, na pewno dokończymy tę rozmowę, tylko że z Glorią, która nie spuści cię z oka.

– Jasne, zadzwonię do ciebie. – Postanowiłam być heroiczna aż do końca, jednak jakoś nie wzięłam pod uwagę tego, że oboje doskonale wiemy, że nie znam jego numeru telefonu.

– Do zobaczenia. – Pocałował mnie w policzek i wybiegł. Drań, mógłby już sobie darować to całowanie. I czemu tylko w policzek...?

– Anka, on nie jest gejem. – Musiałam z kimś pogadać, więc zadzwoniłam do niej, jak tylko wyszedł.

– Kto?

– No jak to kto? José!

– Ten gość, którego poznałam w Pauzie?

– Ten sam, lektor hiszpańskiego z mojej szkoły językowej. Ten od *la abueli*. Pamiętasz? Swoją drogą, miałaś rację, rzeczywiście babcia opowiedziała mu o tym sposobie na plamy. Zresztą pewnie babcia od Gombrowicza.

– No pewnie, że nie jest gejem. Nie wiedziałaś? Trzeba było mnie o to wcześniej zapytać. Geja rozpoznam na kilometr. Czekaj, czekaj, jaki znowu Gombrowicz? Ada, co ty piłaś?

– Czarną polewkę, była gorzka jak cholera.

– Nie rozumiem, skoro nie jest gejem...

– Ale okazało się, że ma dziewczynę! Oszałamiająco piękną Hiszpankę, która jest nawet piękniejsza od ciebie.

– O, a sądziłam, że to niemożliwe. Co zamierzasz zrobić?

– Nie wiem, nawet nie mam szans z nią konkurować.

– Ada! Masz czy nie masz, to bez różnicy. Faceci z reguły nie są godni szacunku, ale kobiety tak. Co oznacza, że nie wolno ci zrobić niczego, co godzi w drugą kobietę!

– Nawet jeśli wygraną w tym rozdaniu jest przystojny, zabawny, inteligentny i wrażliwy mężczyzna o pięknych oczach? – zajęczałam żałośnie w słuchawkę, znając już doskonale z góry odpowiedź.

– Zakochałaś się?

– A tak brzmię?

– W tej sytuacji to nieistotne, współczuję ci, ale pewnych rzeczy się po prostu nie robi.

Solidarność jajników. Wiedziałam, że to kiedyś obróci się przeciwko mnie. Chyba już wolę się solidaryzować z panią ze sklepu z naprzeciwka niż z oszałamiająco piękną Glorią.

Ale Anka oczywiście miała rację, José to tylko facet, a kobietom nie robi się takich rzeczy.

Postanowiłam zaakceptować to dopiero w czwartek, każdy dzień jest dobry na prawdę, byle nie ten, tego dnia dałam sobie spokój. Wróciłam do komputera. Na monitorze leżał rozciągnięty Kastrat, chyba w nie najlepszym humorze, bo nerwowo uderzał ogonem w ekran.

– Jak chcesz stroić fochy, to wynoś się stąd – wrzasnęłam na niego. – Nie moja wina, że sobie poszedł i zostawił nas samych.

Zeskoczył i nie oglądając się, wyszedł z pokoju z dumnie podniesionym ogonem.

– OK, moja wina, ale ty nie musisz o tym wiedzieć – mruknęłam pod nosem, zabierając się do sprawdzenia poczty.

Czemu skrzynka tak wolno mi się otwiera? Internet nawala? Pewnie znowu jakiś parszywy gołąb nasrał na kable i je przeżarło. Nienawidzę tych pieprzniętych ptaszysk! Wtedy w końcu coś załapało, otworzyła się wreszcie skrzynka, a w niej czekało na mnie trzydzieści wiadomości. Od ludzi, do których wysłałam swoje fotki! Oferty kupna zdjęć!!!

Byłam uratowana.

Udało mi się sprzedać dwadzieścia sześć zdjęć ze stu, które wysłałam kilka godzin temu. Najwięcej zaoferował się kupić jeden z portali internetowych. Odezwało się też kilka czasopism, z którymi wcześniej nie miałam nic do czynienia. A, Anka, oczywiście! Bezcenna pod wieloma względami przyjaciółka. Los się jednak odwrócił, czyżby José przeważył szalę? Teraz przynajmniej miałam kasę na rozkręcanie biznesu. Nadszedł czas, żeby coś zrobić. Zbliżała się szesnasta, godzina, o której boski Adonis zazwyczaj wychodzi z pracy. Do dzieła!

Z dwoma aparatami w torbie i zapasowym megaobiektywem stałam pod drzewem na skrzyżowaniu dwóch ulic, skąd miałam idealny widok na kamienicę, w której mieściła się redakcja gazety. Czapka z daszkiem i ciemne okulary powinny zagwarantować mi anonimowość. Nie żebym była najbardziej rozpoznawalną w tym mieście personą, ale z moimi krótko ostrzyżonymi włosami i bladą cerą mam raczej małe możliwości kamuflażu. Pamiętam, że w szkole podstawowej mama wysłała mnie na bal przebierańców w kostiumie murzyńskiej księżniczki. Uparłam się, że muszę mieć czarną skórę, ale jako że dostępność kosmetyków była wówczas raczej ograniczona, musiałam polegać na własnej inwencji. Przeszmuglowałam z domu czarną pastę do butów i za rogiem wysmarowałam nią sobie twarz i dłonie. Smród ciągnął się za mną przez następne dwa tygodnie, a matka sprała mnie za zużycie całej, bezcennej w dodatku, pasty. Udało mi się co prawda poderwać na tym balu starszego chłopaka, ale patrząc na to z perspektywy czasu – nie opłacało się. Z bramy wyszedł właśnie Szymek i powłócząc nogami, zmierzał w moją stronę. Przechodził obok i nawet na mnie spojrzał, ale oczywiście nie poznał. To jeszcze nic nie znaczyło, bo lotny to on specjalnie nie jest, ale dawało mi nadzieję, że jestem bezpieczna w tym przebraniu. Sterczałam tak już od dwudziestu pięciu minut, budząc zaciekawienie wszystkich psów obsikujących drzewo, kiedy wreszcie pojawił się Adonis. Naciągnęłam daszek bardziej na oczy i ruszyłam jego śladem. Trzeba być szaleńcem, żeby o tej godzinie poruszać się po Krakowie samochodem, na szczęście Adonis był tego samego zdania i nie wziął z postoju taksówki. Minął plac Wszystkich Świętych i skręcił w Stolarską, zatrzymał się na wysokości pasażu i rozejrzał się wkoło. W ostatniej chwili zdążyłam wcisnąć się w bramę, czym wzbudziłam zainteresowanie strażnika konsulatu amerykańskiego: zaczął mi się bacznie przyglądać, trzymając przy tym rękę na kaburze. No świetnie, po prostu znakomicie. Wyjęłam szybko aparat z torby i skierowałam obiektyw w stronę kościoła Dominikanów. To w końcu idealna perspektywa do genialnego ujęcia, nawet strażnik w to uwierzył, bo odwrócił się do mnie plecami i zaczaił na dwójkę turystów zaglądających w okna konsulatu. Proszę bardzo, do nich może sobie strzelać. Zerknęłam na Adonisa, już go tam nie było. Musiał wejść do knajpy, nie, zaraz, zaraz, to nie jest zwykła knajpa, ale restauracyjka hotelowa. Czyżby schronił się w zacisznym pokoju do wynajęcia?

Musiałabym dostać się do kamienicy naprzeciwko i liczyć na łut szczęścia, że okna jego pokoju wychodzą akurat na tę stronę. Ale jak się tam dostać? Zadarłam głowę do góry i wpatrywałam się w okno pokoi, nic dziwnego, że nie zauważyłam kobiety, która wpadła mi na plecy.

– O Boże, ogromnie panią przepraszam, szłam taka zamyślona, że nic nie widziałam.

– Nie szkodzi, zresztą to ja się zagapiłam. Nic się nie stało – uspokoiłam ją, odsuwając się na bok.

Blondynka uśmiechnęła się i weszła do hotelu. Ha! Tu cię mam, pomyślałam, wysoka krótkowłosa blondynka, tak zdaje się mówiła Anka o nowej praktykantce, to znaczy o nowo zatrudnionym fotografie. Mogłam się założyć, że to właśnie ona. Nastawiłam ostrość na pierwszy rząd okien, licząc na to, że oboje pokażą w nim swe roześmiane oblicza, a może nawet znacznie więcej.

– Cześć, ciociu.

Znowu? Spojrzałam w dół – tym razem był to mały Staś, cały umorusany lodem czekoladowym, którego resztki trzymał w zaciśniętej piąstce. Opartej właśnie o moje spodnie.

– Cześć, kochanie. Co tu robisz? Jesteś sam?

– Nie, z tatą i ciocią Moniką.

Ciocią Moniką? Czyżbym właśnie miała poznać kobietę, w której do twarzy w różowym? Co za zadziwiający zbieg okoliczności, zamiast przyłapanego na gorącym (i to nawet bardzo) uczynku eks-szefa trafiłam na fikającego szwagra. Wspaniale. Staś odwrócił się i pomachał brudną łapą dwójce przechodniów, którzy szli bardzo blisko siebie, ale gwoli ścisłości, nie trzymali się za ręce. Ma choć odrobinę rozsądku, pomyślałam o Adamie, i idąc za przykładem siostrzeńca, ruszyłam w ich stronę.

ROZDZIAŁ DZIESIĄTY,
W KTÓRYM WSZYSTKO JESZCZE BARDZIEJ SIĘ KOMPLIKUJE

– Poznałam kochankę mojego szwagra – poinformowałam Ankę, kiedy z zapiekankami w ręku szłyśmy w stronę ogródka Mleczarni.

– Coś ty? Przecież jeszcze nie tak dawno temu miałaś wątpliwości co do istnienia jakiejkolwiek kobiety, na którą zwróciłby uwagę, oczywiście, poza twoją siostrą.

– Przedstawił mi ją.

– I co? Powiedział: „Poznajcie się, to moja szwagierka, a to kochanka"?

– Nie, użył określenia „znajoma". I nie dodał, że ta od czerwonych gaci z rozcięciem, ale skoro mały Staś mówi na nią „ciocia Monika", to chyba coś znaczy, nie sądzisz?

– Mówiłaś Ewce?

– Nie, nie bardzo wiem, co jej powiedzieć ani jak zareaguje, ale chyba nie powinnam tego ukrywać. Spotykam się z nią jutro. Będę musiała podjąć jakąś decyzję.

– Może poczekaj, dopóki nie będziesz miała dowodu.

– Mam im zrobić zdjęcie? Oglądać mego szwagra bez ubrania? W żadnym wypadku!

– Dlaczego od razu rozebrane? Wystarczy, że będą razem na mieście szli objęci. I dopytaj się Stasia, skąd zna ciocię Monikę.

To brzmiało dość rozsądnie. Najpierw sama wyjaśnię tę sprawę i dopiero potem porozmawiam z Ewką.

– A co u ciebie? Marta się nie odzywała?

– Owszem, przysłała mi e-maila, że chyba popełniła błąd, że nie przestała mnie kochać i chce wrócić.

– Poważnie?

– No, coś ty. Zresztą, nawet gdyby to uczyniła, już jest za późno. Przemyślałam wszystko i doszłam do wniosku, że to nie był sensowny związek, a w moim wieku nic ma sensu pakować się w bezsensowne związki.

– Nie przesadzaj, jesteś ode mnie starsza zaledwie o cztery lata.

– O trzy, moja droga, już się tak nie odmładzaj. Za dwa tygodnie masz urodziny.

Musiała mi o tym przypominać?

– No i o twoich związkach nie można powiedzieć, że są bezsensowne. Trudno nazwać je w ogóle związkami.

Godzina prawdy wybiła czy Anka ma dziś kiepski dzień? Nie, zupełnie zapomniałam, to j a mam kiepski dzień, fatalny tydzień, chujowy miesiąc i przesrane życie. I nastrój na użalanie się nad sobą.

– Nie będę się nad tobą dziś znęcać, bo nie wyglądasz najlepiej. Może pójdziemy wieczorem na imprezę?

– Niech zgadnę, do Coconu, gdzie znowu będzie mnie podrywać banda brytyjskich Hindusek? A może do Kitschu, żebym natknęła się na José, tym razem bez chłopca w satynowych stringach, ale za to z boginią seksu u boku?

Właściwie to czemu nie?

Wybrałyśmy Kitsch, czyli knajpę na Wielopolu, tam przynajmniej zawsze można się przenieść na imprezę piętro niżej, do Łubu-Dubu. Wystarczy minąć – nie zawsze bezproblemowo – dwóch goryli siedzących na stołkach barowych i zbiec po śliskich schodach śmierdzących szczynami i potem. Kiedy człowiek nie może sobie znaleźć miejsca w sobotni wieczór, ma jeszcze do wyboru dwie inne knajpy, wszystkie w tej samej kamienicy. W Łubu można pobawić się przy nieco innej muzie, bardziej dla mojego rocznika, chociaż i tak w moim wieku trzeba mieć stalowe nerwy, żeby wychodzić na parkiet. Wszędzie same czternastolatki, wiotkie, gibkie, o naoliwionych ciałach, odsłaniające kości miednicy i pozbawione tłuszczu pośladki. Jedyna szansa to wstawić się na tyle, by alkohol we krwi pozwolił osiągnąć poziom harmonii ze światem. Tego wieczora wypiłam trzy podwójne żubrówki, ale specjalnie nie zmieniło to mojego stosunku do wszechświata. Małolaty szalały na podium, cisnąc się wokół jednej rury, panny pląsały na parkiecie na tyle rozważnie, żeby się nie spocić, a chłopcy ściskali się po kątach. Tu się nic nie zmienia, tylko systematycznie obniża się poziom wieku imprezowiczów. O Boże, a może to ja się starzeję?

Muszę się jeszcze napić, postanowiłam w przebłysku intuicji i ruszyłam w stronę baru. Nic tak nie polepsza mi nastroju jak alkohol w sceneriach rodem z koszmaru pod tytułem u cioci na imieninach. W Kitschu można znaleźć absolutnie wszystko – od choinkowych łańcuchów po pulsujące różowe światełka i fluorescencyjne obrazy. Jak znam moje szczęście, to pewnie znajdę zaraz i José, z Glorią rzecz jasna. Poprawiłam sobie jeszcze włosy przed lustrem i nagle ujrzałam w nim odbicie Adama. Mój szwagier w Kitschu?! Schowałam się szybko za kotarę, która oddziela od baru małą salkę. Rzeczywiście, siedział sam nad piwem, przyglądając się stosownie do nazwy kiczowatemu wnętrzu, i zerkał co chwila na parkiet. Czyżby gdzieś tam bawiła się ciocia Monika? Jakoś nie wyglądała na fankę knajp gejowskich, ale pozory mogą mylić. Adam drgnął przestraszony, spojrzałam w tym samym kierunku i zobaczyłam Ankę. Znają się, zaraz na siebie wpadną i szwagruńcio będzie miał się z pyszna. A jednak nie doceniłam go. Spanikowany, zsunął się z barowego stołka i przywarł do ściany. Przez kotarę słyszałam jego przyspieszony oddech, jak tu zaraz wejdzie, to po mnie. To znaczy po nim, a już na pewno po ich małżeństwie. Anka podeszła do baru, więc miał otwartą drogę ucieczki. Długo się nie zastanawiał, po chwili już go nie było. Odczekałam jeszcze minutę, tak na wszelki wypadek, i podeszłam do niej z rewelacyjną wiadomością. Wypiłyśmy za zdrowie mojego szwagra, który chyba nadrabia stracone w młodości lata, i wreszcie poszłyśmy tańczyć. Chyba jednak nie jesteśmy aż tak stare, skoro nikt nam nie zrobił miejsca na parkiecie i najzwyczajniej w świecie trzeba się było rozpychać łokciami. Ulżyło mi. Przynajmniej do momentu gdy gość za konsoletą zaczął puszczać coś, co tylko w stanie totalnego upojenia alkoholowego można by nazwać muzyką. Byłyśmy zbyt trzeźwe, żeby znieść ten deliryczny natłok dźwięków, więc gdy tylko Anka pokazała, że schodzi na dół, bez wahania przyłączyłam się do niej. Z Łubu płynęła miła dla ucha muza z lat osiemdziesiątych, a w środku łagodnie przelewała się masa studentów, falująca, podskakująca, rozchełstana. Tu było jakoś przyzwoiciej, tu był... José. Bawił się chyba w gronie znajomych, bez dziewczyny, bo nie widziałam nigdzie Glorii. Stanęłam sobie z boku pod ścianą i patrzyłam na rozbawiony kwiat starszej młodzieży hiszpańsko-polskiej. Anka podeszła do nich i przywitała się wylewnie z kilkoma osobami, proszę, proszę, wspólni znajomi. José cmoknął ją w policzek, nachylił się do jej ucha, wymienili kilka zdań i zaczął się rozglądać po sali. Czyżby to mnie szukał? Musiała mu powiedzieć, że jesteśmy tu razem. Wcisnęłam się bardziej w kąt, chciałam jeszcze móc na niego popatrzeć w spokoju. A było na co. Nie chodziło o to, że jest przystojny ani że świetnie się porusza. Właściwie to bardziej wygłupiał się na parkiecie, niż tańczył, ale robił to z takim wdziękiem, że... No właśnie. Chyba wtedy uświadomiłam sobie, że się zakochałam, a może to było później? Nie pamiętam dokładnie. To i tak bez różnicy, bo bez względu na czas i miejsce byłam przecież na przegranej pozycji. Po mojej lewej stronie namiętnie całowała się para studentów, po prawej dwóch chłopców z czułością gładziło się po twarzach, idealna sceneria do wyznania miłosnego, brakuje jeszcze tylko José z różą w zębach u mych stóp. Kiedy znów spojrzałam w tamtą stronę, zobaczyłam tylko Ankę tańczącą z jej znajomymi. A gdzie reszta? Gdzie José?

– Tutaj jesteś. Szukałem cię. – Tuż nad uchem usłyszałam jego głos. Chyba odwróciłam się zbyt gwałtownie, bo na twarzy i dekolcie poczułam lodowato zimną wodę. Oby to była woda...

– Co miałeś przed chwilą w tej szklance?

– Żubrówkę z sokiem jabłkowym, więc chyba powinnaś się umyć, chodź ze mną. – I najzwyczajniej w świecie wziął mnie za rękę i zaprowadził w stronę łazienki.

Jeśli można dostać orgazmu z resztką żubrówki za dekoltem, to właśnie przed chwilą go zaliczyłam. Niestety, łazienka była zbyt blisko, poza tym głupio bym wygląda-

ła, gdybym nie chciała oderwać się od jego ręki... Zmyłam
z siebie klejący się alkohol, ale oczywiście o ręcznikach papierowych mogłam jedynie pomarzyć. Wyszłam więc z lekka ociekająca wodą z zamiarem natychmiastowego ewaku-
owania się do domu, ale zobaczyłam go, jak stoi na końcu
korytarza i czeka. Na mnie.

– Już myślałem, że wyszłaś tylnym wyjściem – uśmiechnął się.

Jasne, miałabym stracić taką okazję?! Pewnie wnukom
będę o tym opowiadać. Wnukom Ewki, oczywiście że
nie moim.

– Jesteś cała mokra.

– Nie było papieru.

OK, wiem, że wyglądam jak Wodnik Szuwarek, ale to
jeszcze nie powód, żeby się ze mnie śmiać!

José wyjął z kieszeni paczkę chusteczek, ale kiedy wyciągnęłam po nie dłoń, pokręcił przecząco głową. Hę? Wziął
jedną chusteczkę i delikatnie wytarł nią moją twarz. O mój
Boże! Drugą wysuszył mi szyję, trzecią – STOP! Musiałam
to natychmiast przerwać. Jak tak dalej pójdzie, to rzucę się
na niego w ciasnym korytarzu łazienki i cały mój szacunek
do Glorii trafi szlag. Trzasnęły drzwi, zbliżał się do nas jeden ze znajomych z roztańczonej grupki. José cofnął rękę,
ale spojrzał na mnie przy tym w taki sposób, że ugięły się
pode mną kolana. Hola, tak się nie patrzy na dziewczynę,
kiedy nie jest się całkowicie wolnym i dostępnym mężczyzną z pełnym pakietem dodatkowych atrakcji! To nie *fair*!

– Ada, to jest Robert, mój przyjaciel jeszcze ze studiów,
a to...

– Ada? Ta sama Ada, która tak artystycznie zwymiotowała na szefa ostatniego dnia w pracy?

Pokiwałam smętnie głową. A już miałam nadzieję, że wieść nie wyruszy poza ściany firmy.

– Anka mi o tobie opowiadała. Dziewczyno, jesteś sławna!

Najwidoczniej moje pięć minut sławy zacięło się w okolicy czwartej, bo ja na przykład wolałabym już o tym nie pamiętać.

– Widziałem przed chwilą twojego studenta, José, tego, który w zeszłym roku o mały włos się nie przejechał. Opowiadał ci o tym? – Tym razem Robert zwrócił się do mnie. – Spotkaliśmy go na imprezie, tutaj albo w Kitschu, nie pamiętam dokładnie, nie, to chyba jednak był Kitsch, sporo rozebranych małolatów. Ten gnojek był tak naćpany, że ledwo trzymał się na nogach. José zaciągnął go do łazienki i wsadził mu głowę pod zimną wodę, niezbyt pomogło, bo dzwoniliśmy potem po karetkę. Ale i tak najlepsze było na końcu – roześmiał się. – Okazało się, że ktoś ze szkoły językowej musiał widzieć go ciągnącego do łazienki na wpół rozebranego chłopca, bo z dnia na dzień został ochrzczony pedałem. Niewiarygodne, nie?

Oj, tak, całkowicie niewiarygodne, aż się wierzyć nie chce, że ktoś takie świństwo mu wywinął.

– Nic mu się nie stało? – postanowiłam szybko zmienić temat.

– Temu smarkaczowi? Nie, jak widać, świetnie się czuje, bo dalej szaleje na imprezach. No dobra, wracajmy na parkiet.

José nie oponował, ale kiedy przedzieraliśmy się przez tańczący tłum, znów wziął mnie za rękę.

Nie będę ukrywać, że bawiłam się wyśmienicie. Nad ranem chciał mnie odwieźć do domu, ale dość nieoczekiwanie wtrąciła się Anka, zapewniając, że wracamy we dwie, po czym nachyliła się do mnie i szepnęła:

– To, żebyś nie zrobiła jakiegoś głupstwa. Jutro mi za to podziękujesz.

Nie podziękowałam, do dziś.

Tym bardziej że kiedy już zamknęłam za sobą drzwi do mieszkania i weszłam pod prysznic, zaczęłam słyszeć dziwne głosy. Początkowo uspokajałam się myślą, że to tylko szum w mojej głowie spowodowany hałasem w Łubu, ale kiedy doszło do tego wyraźne, zrytmizowane pojękiwanie, a potem gardłowe: „Tak, tak, tak", przeradzające się w krzyczące: „Tak, tak, tak!", westchnęłam zrezygnowana. Któryś z sąsiadów wypełniał właśnie zamiast mnie dziurę w misternej tkance seksu. Takie błyskotliwe metafory zostawił mi w spadku jeden z moich byłych, stomatolog, jak łatwo się domyślić. Grę wstępną odwalał pytaniem, czy nie założyć mi wypełnienia, bo wyglądam, jakbym miała spory ubytek. Za pierwszym razem mnie to rozczuliło, za drugim rozbawiło, za trzccim z lekka zirytowało, a czwartego już nie było. Kochany Kastrat starał się jak mógł, żeby mi pomóc – z poświęceniem godnym podziwu co noc sikał mu do butów, które na próżno mój dentysta chował na najwyższe półki i zamykał w szafie. W końcu zasugerowałam, że może je równie dobrze wystawić za drzwi. Zrozumiał i już więcej nie przyszedł. Zupełnie inaczej było za to ze studentem ochrony środowiska. Miał hopla na punkcie natury, jeździł na wszystkie pikiety i protesty przeciwko wycinaniu lasów, wypalaniu łąk i stawianiu supermarketów na terenach zielonych. Był niezwykle czułym kochankiem, jednak trochę przeszkadzał mi jego zapał do uprawiania seksu na świeżym powietrzu. Najbardziej rajcowały go lasy iglaste, ale że to żadna przyjemność nadziewać się wciąż na kłujące igły, uległ moim namowom i przenieśliśmy się do zagajników brzozowych. Zaraz po tym jak zaproponował mi seks na śniegu, odkryłam, że jest całkowicie niezdolny do uprawiania miłości w pomieszczeniu zamkniętym. Podczas pierwszej i ostatniej zarazem próby w moim mieszkaniu, kiedy stwierdził, że mam za miękkie łóżko, elektryzuje mi się koc, używam złego płynu zmiękczającego do zasłon i że ma alergię na moje perfumy, co skutecznie utrudniało mu osiągnięcie orgazmu, Kastracik używał sobie, ile wlezie na jego pluszowym plecaczku. Jak na zapalonego ekologa przystało, student nie tolerował toreb skórzanych, więc wszędzie chodził z pluszowym pomarańczowym plecaczkiem. Być może kotu plecaczek pomylił się z Kubusiem Puchatkiem, bo zupełnie zapomniał o pewnym zabiegu w klinice weterynaryjnej i z gwałtownością furiata pozbawiał go czci przez trzy godziny z rzędu. Na koniec student zarzucił mi, że pastwię się nad biednym zwierzęciem i przemocą trzymam je w niewoli. Biedak, nie wiedział, co mówi. Gdybym wypuściła Kastrata, pluszowy plecak już nigdy nie wróciłby do formy.

– Och, misiu!!! – zapiszczał wysoki kobiecy głos, po czym zapadła cisza. Nareszcie błoga cisza. Misiu? Czyżby ktoś uprawiał seks z psem mojego sąsiada?

Po chwili usłyszałam nad głową odgłos plaskających o podłogę bosych stóp. To jednak był przystojniak. Życzyłam mu dobrego odpoczynku po tak męczącej nocy i zgasiłam światło. Po pięciu minutach stopy znów zaplaskały o podłogę, zaskrzypiało u góry łóżko, a kobiecy głosik zaczął chichotać zalotnym dyszkantem. Mijały kolejne minuty, szepty znów zamieniły się w śpiewne zawodzenie, no chyba że to Miś dzielnie wspierał wysiłki pana, a kiedy łóżko zaczęło rytmicznie stukać w ścianę, nie wytrzymałam i wrzasnęłam na cały głos:

– Na litość boską!

Momentalnie przestali, za to megiera zaczęła walić kijem od szczotki w ścianę.

No pewnie, można uprawiać głośno seks, budząc wszystkich sąsiadów, ale żeby nadaremno nadużywać imienia... Skandal.

Zasnęłam o szóstej nad ranem, wymyślając inwektywy pod adresem przystojniaka z góry. Megierę oszczędziłam, solidarność jajników do czegoś zobowiązuje.

ROZDZIAŁ JEDENASTY
– SZATAŃSKI PLAN

A jeśli José się wystraszy po tej nocy w Łubu? Stwierdzi, że za daleko się posunął, że teraz pomyślę sobie, że zostawi dla mnie Glorię, i postanowi stanowczo przekreślić naszą znajomość? Jeśli jest choć odrobinę odpowiedzialnym i fragmentarycznie dojrzałym mężczyzną, to może się tak zachować. Zacznie omijać wszystkie miejsca, gdzie moglibyśmy się przypadkowo spotkać, przechodzić na drugą stronę ulicy na mój widok i przestanie się do mnie odzywać. Co wtedy? Zamyślona, potarłam lekko dłoń, którą kilka godzin temu trzymał w swoich rękach.

– Coś cię ugryzło? Ciągle dotykasz tej dłoni. Pokaż no, jak ci się wda zakażenie, będzie za późno.

Już jest za późno. Ale jak mogłabym wytłumaczyć to Ewce? Przecież to moja siostra. W dodatku siostra zdradzana przez męża – zbyt drażliwy temat. Poza tym szłyśmy właśnie do kina z dzieciakami, więc wszelkie rozmowy o wyczynach seksualnych ich tatusia były zakazane. Ewka najwyraźniej zmieniła styl, chyba że w jej mentalności to rodzaj żałoby po utracie wiernego męża albo zemsty na nim za wszystkie te zmarnowane lata chodzenia w kostiumach, żakietach, powiewnych, subtelnych sukienkach i kapelu-

szach. Alleluja. Moja siostra kupiła sobie nowe dżiny, od-
jechane trampki na małym koturnie i koszulkę na ramiączkach z wielkim napisem z przodu: *TAKE ME!*, a z tyłu:
AND GET LOST! Coś mi się wydaje, że tym razem nie robiła zakupów z matką w świętą sobotę. Miała w sobie coś na
kształt desperacji, a raczej determinacji, OK, coś na prze-
cięciu dwóch d, czego efektem było trzecie d – jak by ujął
to mój eks-sąsiad z Wolnicy: niezła z niej była dupa. Tylko
coś jeszcze trzeba było zrobić z jej pruderią, która nijak nie
pasowała do nowego wizerunku. Przystąpiłam do ataku.

– Ewka, a może byś tak wybrała się ze mną kiedyś na
imprezę?

– Świetny pomysł! Widziałam dziś w gazecie reklamę
dansingu w klubie dla singlów, tego, który kiedyś był na
rogu Stradomia i Gertrudy, ale nie pamiętam nowego adre-
su. Sprawdzę, jak tylko wrócimy, i dam ci znać.

OK, impreza jednak nie była najlepszym pomysłem,
chyba na to jeszcze za wcześnie. I wtedy mnie olśniło:

– Wiesz co, zanim wybierzemy się na dansing, zabiorę
cię w pewne miejsce, ale to niespodzianka, więc i tak nic
ci nie powiem.

Plan miałam iście szatański. W najbliższy weekend
w Krakowie miały się odbyć występy znakomitego zespołu tanecznego. Raz na dwa lata przyjeżdżał na *tournée* do
Polski, jego popularność rosła coraz szybciej i niezwykle
trudno było załapać się na występ, nie wspominając już
o piekielnie drogich biletach. Na szczęście Anka praco-
wała w marketingu, miała szerokie grono znajomych, co
ułatwiało mi czasami życie. Od razu do niej zadzwoniłam
i zasłaniając dłonią telefon, szeptem poprosiłam o skom-
binowanie dwóch biletów.

– Co?! Zabierasz tam Ewkę? Oszalałaś? Przecież ona dostanie zawału!

Ale w końcu się zgodziła, po tym jak powiedziałam, żeby mi zaufała, że wiem, co robię, i żeby zamiast kazania dała mi te cholerne bilety. Zatem rozrywka kulturalna w sobotę była gwarantowana. Musiałam ją jakoś do tego przygotować, więc jak tylko weszliśmy do galerii, oni pognali do kina zająć kolejkę do kasy, a ja skręciłam do księgarni. Miałam niewiele czasu, ale wiedziałam, czego szukać. Potrzebowałam klasycznego chicklitu, w którym roi się od damsko-męskich relacji, a każda bohaterka doświadcza życiowej przemiany i kończy jako seksbomba w ramionach przystojniaka. Im bardziej seksowny ten przystojniak, tym lepiej. Uroczy chłopiec przy kasie zapakował mi książkę w ozdobny papier, a ja przez moment pomyślałam, że może zanim dam ją siostrze, sama przeczytam, ale nie było już czasu. Przybiegł Jędrek i zaczął mnie poganiać. Przecież mogli zadzwonić!

Na salę weszliśmy jeszcze przed reklamami, nie można się było na nie spóźnić, bo o ile my wszyscy chodziliśmy do kina na filmy, o tyle mały Staś zdecydowanie wolał reklamy. Nie było zbyt wielu osób, przeważali tatusiowie z dziećmi, którzy wpatrywali się w Ewkę, dopóki nie zgasło światło. Kiedy zapadły ciemności, a na ekranie pojawiły się napisy początkowe, na sali zrobił się lekki rumor – trzech tatusiów zostawiło potomków na swoich miejscach, a sami chyłkiem przemknęli w naszą stronę. Chyba wywiązała się niema walka o fotel jak najbliżej mojej siostry, bo słychać było gniewne posapywanie. W końcu ktoś cicho jęknął i zaklął pod nosem. Miejsce obok zatrzeszczało i poczułam bardzo mocny zapach męskich perfum. Jak tak dalej pójdzie, Ewka wywoła w Krakowie masową histerię. Po filmie zwycięzca oczywiście próbował zaprosić ją na kawę, ale nagle przypomniał sobie o swoim synku, który właśnie stanął obok i zaczął marudzić, że chce do mamy. Dzieci jednak potrafią być okrutne...

Jako dobra ciotka i najlepsza pod słońcem siostra zabrałam całą czwórkę na zapiekanki do Okrąglaka. Tym razem piwo odpadało, więc zakończyliśmy dzień na lodach i spacerze nad Wisłą. Na moście spotkaliśmy wesołą grupkę Hiszpanów, którzy uśmiechnęli się do nas radośnie, wymachując pustymi butelkami po piwie. Raj dla każdego turysty, dlatego ciągną tu tabunami, utrudniając nam życie.

– *¡Hola chicas! ¡Qué guapas estáis! ¡Qué sorpresa! ¿Queréis ir a la disco? No, no, ¡mejor a nuestra casa! ¿Acaso al hotel? ¿Cuánto se paga por hora? Yo me llevo a la de la izquierola, ¡qué buen culo!**

Co za skurwiele.

– Ada, co oni mówią?

Jak to przetłumaczę, dostanie apopleksji, poza tym nie będę się wyrażać po polsku przy moich siostrzeńcach.

– Pytają o drogę. Zaraz im wyjaśnię, jak dojść na Rynek.

Co za wstrętne hiszpańskie fagasy! Nienawidzę turystów, a już szczególnie tych napranych, napalonych dupków, którzy bezkarnie obrażają kobiety! I co on powiedział o mojej siostrze? *Qué buen culo?* Co za skurwiel! Spojrzałam na nich z przemiłym uśmiechem i przyjacielskim

---

* Hej, dziewczyny! Jakie pięknotki! Co za niespodzianka! Chcecie iść na dyskotekę? Albo nie, lepiej do nas do domu! Chyba że do hotelu? Ile bierzecie za godzinę? Ja wybieram tę z lewej, niezła z niej dupa!

tonem (Oscar dla tej pani za genialny występ przed własną rodziną!) odparłam:

— *Tíos, podéis hablar de tal manera con vuestras madres, pero no con las mujeres en este país. Entonces tomad vuestras pollas y lárgaos, puta madre, rapidamente. No me importa nada que váis a hacer, pero podéis olvidar, puta madre, a ofender, cabrones, las mujeres. Y buenas noches, lhijos de puta!** — Moja fantazja nie znała granic, więc za każdym razem, wymawiając *puta madre*, pokazywałam ręką w stronę Rynku. Musiałam wszak zachować pozory przed małolatami.

Zapadła cisza absolutna. Turyści stanęli jak wryci. Ojej, jednak ktoś w tym ciemnym pogańskim kraju włada cywilizowanym językiem. Co za hołota! Ewka spojrzała na mnie zdziwiona ich reakcją, wzruszyła ramionami i ruszyła przed siebie.

— Idziemy? Nawet ci nie podziękowali, barbarzyńcy.

— No właśnie, nawet nie podziękowali.

Ola chwyciła mnie za rękę i zaaferowana, powtarzała, że koniecznie musi pójść na kurs hiszpańskiego, żeby mówić tak dobrze jak ja. Ewka stwierdziła, że to dobry pomysł, a ja przez skromność nie oponowałam. Ożywił się nawet senny Staś, który z urokiem siedmiolatka zapytał:

— Ciociu, czy Rynek po hiszpańsku to *puta madre*?

Te dzieci to potwory, zawsze usłyszą nie to, co trzeba.

— Nie, kochanie, to takie słówko... pomocnicze.

---

* Panowie, w taki sposób możecie rozmawiać z waszymi matkami, ale nie z kobietami w tym kraju. Zabierajcie więc stąd swoje chuje i spierdalajcie stąd, kurwa, jak najszybciej. Nie obchodzi mnie, co chcecie robić, ale zapomnijcie, kurwa mać, o obrażaniu, skurwiele, kobiet. Dobrej nocy życzę, skurwysyny!

Na szczęście Staś zawiesił się na znaczeniu słówka pomocniczego i znów zapadł w letarg. Za to aż do samego domu Ola podskakiwała, podśpiewując pod nosem: *puta madre, puta madre.*

I ucz tu dzieci języków obcych...

Kiedy kładłam się w nocy do łóżka, zapipczał telefon. Wiadomość od Ewki.

– SPRAWDZILAM W NECIE. JAK MOGLAS? PUTA MADRE?!

Ups, ta łatwa dostępność Internetu bywa czasami szkodliwa.

Rano, zanim jeszcze na dobre otworzyłam oczy, zauważyłam, że skończyła mi się kawa. Uwielbiam te niespodzianki życiowe, co jak co, ale nie mogę się uskarżać na nudę w życiu, co rusz jakaś nowość. Z westchnieniem wciągnęłam spodnie od dresu i koszulkę, sklep był co prawda blisko, ale nie na tyle, by chodzić na poranne zakupy nago. Chociaż muszę to przemyśleć, może przynajmniej dostałabym rabat? No i gdybym tak znów wpadła na José... Dziewczyno, oprzytomnij wreszcie, jaki José? Otworzyłam drzwi do mieszkania i tylko cudem nie wdepnęłam w ogromny bukiet róż leżący na mojej wycieraczce. José? Kwiaty były piękne, związane zwykłą wstążką, jeszcze mokre od rosy. Pewnie kupił je na targu od jakiejś staruszki! Jakie to romantyczne! Podniosłam je z wycieraczki i wtedy zauważyłam przypięty do wstążki liścik. Z maleńkiej koperty wyjęłam złożoną na pół karteczkę. A jeśli napisał, że mnie kocha i chce rzucić Glorię? Bzdura, to niemożliwe. Jak już, to proponuje mi, żebym została jego tajną kochanką. Będziemy się spotykać tylko raz w tygodniu i w zaciszu mojego mieszkania, przy zaciągniętych zasłonach, uprawiać namiętny seks. Otworzyłam.

KOCHANY DELFINKU! TĘSKNIĘ ZA TOBĄ JAK OPĘTANY. UWIELBIAM TWÓJ OWŁOSIONY TORS, TWOJE SMAGŁE RAMIONA I TE WSPANIAŁE UDA. CAŁUJĘ CIĘ W KAŻDY PIEPRZYK NA TWYM BOSKIM CIELE, SZCZEGÓLNIE TEN NA TWYM SEKRETNYM MIEJSCU. DO ZOBACZENIA JUTRO. TWÓJ ZAKOCHANY NA WIEKI MANIUŚ.

Po pierwsze, nie znam żadnego Maniusia, po drugie, nikt nie nazywa mnie Delfinkiem, po trzecie, nie mam owłosionego torsu! Co do pieprzyków, to... O mój Boże, przecież trzymam w ręku kartkę napisaną przez jakiegoś obślinionego zboczeńca! Ohyda! Puściłam i kwiaty, i liścik, po czym odgarnęłam je stopą z mojej wycieraczki. Nie miałam pojęcia, dla kogo był ten bukiet, ale na pewno nie dla mnie. Zbiegłam do sklepu po kawę, a kiedy wróciłam, przed drzwiami został tylko jeden oderwany listek. Czyżby zabrała je megiera? Może to od jej wielbiciela? Wtedy piętro wyżej otworzyły się drzwi i zaszczekał pies. Miś wybierał się na spacer. Tuż za nim schodził przystojniak, który na mój widok zatrzymał się nerwowo i zaczerwenił po samo czoło. Właśnie znalazłam Delfinka. I pomyśleć, że gdyby nie Kastrat, to ja całowałabym pieprzyki na tym boskim ciele. Kocham mojego kota.

Z ulgą zamknęłam się we własnym mieszkaniu, poczochrałam kocią sierść i zaparzyłam sobie kawę. Cudowny zapach rozszedł się po wszystkich kątach, zrobiło się błogo i leniwie jak w sobotę o poranku. Właściwie to od ponad tygodnia mam niekończącą się sobotę. Tylko że niecodziennie ktoś mi przeszkadza i puka do drzwi. O tej porze? Może Delfinek z pretensjami, że otworzyłam jego liścik. Tym razem jednak zerknęłam przez judasz. Na mojej wycieraczce stał José, z kwiatami w ręku.

Musiałam podjąć szybką decyzję – albo go wpuszczę i pozwolę mu się zobaczyć w rozciągniętych dresach i pogniecionej koszulce, albo błyskawicznie się przebiorę, ale wtedy on może dojść do wniosku, że skoro go nie wpuszczam, to mnie nie ma, i sobie najzwyczajniej w świecie pójdzie. Razem z tymi kwiatami! Męska decyzja (męska, to znaczy podjęta bez specjalnego wysiłku umysłowego, jak mawia moja przyjaciółka Anka). Otworzyłam mu. Wyglądał na lekko zakłopotanego. Najpierw wyciągnął w moją stronę siatkę, a potem kwiaty:

– Przepraszam, że nachodzę cię o tak wczesnej porze, zadzwoniłbym, ale nie mam twojego numeru telefonu. Znajomy odwiedził mnie na kilka dni ze swoim kotem i już wyjechał, zapomniał jednak o kocim jedzeniu. Zostało u mnie, więc pomyślałem, że skoro masz kota, to... – mówił coraz wolniej i ciszej niepewny mojej reakcji.

– Przyszedłeś tu specjalnie z żarciem dla mojego kota? – zapytałam z niedowierzaniem. – A te kwiaty? – Skupiłam się na tym, co najważniejsze.

– Szedłem przez targ i pomyślałem, że może się ucieszysz.

Że się ucieszę? Jakbym mogła, to z radości poleciałabym do przystojniaka pokazać mu ten bukiet! Może i nie mam owłosionego torsu, ale mimo wszystko też dostaję kwiaty.

– To bardzo miło z twojej strony, dziękuję. – Boże, jaki on jest przystojny! – Właśnie zaparzyłam kawę. Nie masz przypadkiem ochoty?

Pozwoliłam mu przywitać się z rozanielonym Kastratem, a sama poszłam się przebrać. Bluzka i spodnie? Nie, za bardzo poplamione. Spódnica? Czystą mam tylko czarną do kostek, więc zaraz się cała zakłaczę. Może jakaś sukienka? Boże, przecież nie mam żadnej sukienki! Co ja mam włożyć?! Rozejrzałam się spanikowana po sypialni, na krześle leżały zwinięte dżinsy. Mogły być, ale postanowiłam, że później idę do sklepu. Najwyższy czas na małe zakupy. Może wezmę ze sobą Ewkę? Przynajmniej mi pokaże, gdzie kupiła te trampki na koturnie.

– Ada, mogę włączyć muzykę? – dobiegło zza ściany. Zdałam sobie sprawę, że stoję nago w pokoju, a obok, za tą cieniutką ścianką z karton-gipsu jest mężczyzna mojego życia, który nigdy tu ze mną nie zamieszka, nigdy nie będzie wiedział, gdzie leżą moje ulubione płyty. Westchnęłam i sięgnęłam po dżinsy.

– Jasne, czuj się jak u siebie w domu.

Czy ja to powiedziałam?

Zanim dopasowałam koszulkę do dżinsów, a przymierzyłam ich chyba trzysta, co było dość zaskakujące, bo mam ich raptem osiem – jedna była zbyt wyzywająca, druga zbyt skromna, w trzeciej o tej porze dnia i bez makijażu wyglądałam jak rozmyta plama – usłyszałam brzęknięcie naczyń. Czyżby José zabrał się do ponownego parzenia kawy? Zajrzałam do kuchni, stał przy zlewie, wycierając kubek ścierką. Ach, już nigdy jej nie wypiorę, a kubek oprawię w ramki. Wyglądał tak... pociągająco w mojej kuchni.

– Do twarzy ci z tą ścierką.

– Nie gniewasz się chyba? Miałem się czuć jak u siebie w domu. – Posłał mi szelmowski uśmieszek. Na parapecie leżał Kastrat i wpatrywał się w José maślanymi oczami. Szkoda, że parapet jest tak wąski, sama z chęcią bym się tam położyła.

ROZDZIAŁ DWUNASTY,
W KTÓRYM EWKA DAJE SIĘ SPROWADZIĆ NA ZŁĄ DROGĘ.
NO I POJAWIA SIĘ MANIUŚ

Siedziałyśmy wykończone przy maleńkim stoliku na kawie w galerii. Wolałam knajpę na Kazimierzu, ale Ewka zażądała odpoczynku tu i teraz, więc usiadłyśmy w pierwszej kafejce, jaką znalazłyśmy po oficjalnym zakończeniu zakupów. Byłam usatysfakcjonowana, José mógł mnie już nachodzić o każdej porze dnia i nocy, miałam ciuchy na każdą okazję, nawet na ten wieczór. Siostra z trudem dała się namówić na zakupy, marudziła, że przestały ją bawić, od kiedy Adam się wyprowadził. Użyłam całego swego uroku z odrobiną szantażu, żeby wyciągnąć ją do sklepu – musiałam ją przekonać, by kupiła sobie coś seksownego na występ zespołu. Przy okazji zrobiłam jej test na podatność na chicklity – dała się złapać. Lekka aluzja do bohaterki powieści i Ewka sama poczuła potrzebę włożenia na siebie czegoś „kobiecego", jak to ujęła, wpatrując się w czerwoną obcisłą sukienkę z dużym dekoltem. Kosztowała tyle co połowa jej pensji, ale kobiety w takich sytuacjach najczęściej podejmują męskie decyzje. Kiecka leżała sobie teraz w jej torbie, która wyglądała na samotną w sąsiedztwie moich siedmiu. Mrożona kawa na stoliku i nogi wyciągnięte na krześle obok to lepsze niż papieros po seksie. Zaczęłyśmy rozmawiać o Adamie, ale nic ponadto, że widuje się z dziećmi i jest dla niej bardzo uprzejmy i jakby zdystansowany, nie chciała o nim powiedzieć. Za to po raz pierwszy zapytała o moje życie emocjonalne. Mrożona kawa rozwiązuje język lepiej niż alkohol, powiedziałam jej wszystko o José. No, prawie wszystko, nie wspomniałam o tym, że byłam gotowa wskoczyć mu do łóżka, przebierając się w koszulę nocną Glorii. Właśnie, Gloria. Nie wspomniałam jej o Glorii. Wyszłam z założenia, że informacje trzeba wypuszczać w odpowiednim momencie. To nie był odpowiedni moment.

– Spałaś z nim?

Zakrztusiłam się. Nie poznaję własnej siostry!

– No co? Chyba nie chcesz mi wciskać kitów, że trzymacie się tylko za rękę?

Och, ile ja bym dała za to, żeby móc potrzymać go za coś innego.

– Wiesz co, Ewa, to jest bardziej skomplikowane. Do tej pory jeszcze żaden mężczyzna nie wywrócił mi życia do góry nogami tak jak on. A najlepszym tego dowodem jest to, że nie poszliśmy jeszcze do łóżka.

– Może on jednak jest gejem?

Teraz żałowałam, że mam pewność co do jego orientacji.

– Nie, nie jest. Sposób, w jaki na mnie patrzy, w jaki ze mną tańczył wtedy na imprezie, w jaki rozmawia ze mną w mojej kuchni, parząc mi kawę... On jest...

– Zakochany. Ty też.

Tak, gdyby to wszystko mogło być odrobinę prostsze. Tymczasem tego ranka, kiedy po dwóch miłych godzinach przy kawie zbierał się do wyjścia, spojrzał mi w oczy i powiedział, że chciałby dokończyć tamtą rozmowę, którą przerwał nam telefon. Pokręciłam tylko głową, uśmiechnęłam się do niego i odpowiedziałam, że nie musi, że wszystko wiem i rozumiem sytuację. Przecież oboje jesteśmy dojrzali. Ulżyło mu, a wychodząc, pocałował mnie w policzek. Prawie, bo chyba celował gdzie indziej, ale kot nagle miauknął i drgnęłam, odwracając głowę. Cholera! Podniosłam się od stolika, żeby zapłacić za nasze kawy, i w głębi knajpki ujrzałam trzy wpatrzone we mnie twarze. W kącie, przy piwie i pełnej popielniczce, siedziały trzy Hinduski i gapiły się na mnie. Poczułam się nieswojo. Hej, to ja się powinnam im przypatrywać, w tym kraju nie ja jestem odmieńcem, ale one. Jedna z nich kiwnęła mi głową. Postanowiłam je zignorować i z ulgą powitałam kelnerkę, która wróciła właśnie z obchodu wśród stolików. Na szczęście dołączyła do mnie Ewka.

– Znasz je? – zapytała mnie szeptem. – Nie spuszczają z ciebie oka.

A więc to nie jest tylko wytwór mojego umysłu, czego już zaczęłam się obawiać. W pierwszym odruchu pokręciłam przecząco głową, ale coś mówiło mi, że kiedyś się spotkałyśmy. Tylko gdzie i w jakich okolicznościach? Zwinęłyśmy się stamtąd jak najprędzej. Czasu zostało nam akurat na odświeżenie się i zmianę kreacji przed głównym punktem tego wieczoru. Do klubu pojechałyśmy taksówką, Ewka nie dałaby rady przejść tego kawałka w butach, które jej pożyczyłam. A kto by dał? Kupiłam je sobie kiedyś na wernisaż znajomej, ale po dziesięciu minutach na dwunastocentymetrowych obcasach postanowiłam wylansować nową modę – chodzenia boso do wieczorowej sukni.

W czerwonej kiecce wyglądała oszałamiająco; kiedy stanęłam obok niej w moich czarnych szerokich spodniach i niebieskiej tunice, przypominałam bardziej gondoliera. Przed wejściem stała już długa kolejka kobiet – od sześćdziesięcioletnich po dwudziestolatki – i na samym końcu dwóch mężczyzn. Gejów. Taksówkarz zatrzymał się przed samymi drzwiami, a kiedy Ewka wyszła z samochodu i już miała zamiar udać się grzecznie na koniec kolejki, bramkarz odpiął przed nią sznur z barierki blokującej wstęp i szerokim gestem zaprosił ją do środka. Zdziwiona jego zachowaniem, obejrzała się na mnie i weszła do środka. Na mój widok napakowany koleś tylko wzniósł oczy do góry i z męczeńskim wyrazem twarzy przepuścił i mnie, ku jawnej dezaprobacie stojących w kolejce. Jedno niezadowolone syknięcie bramkarza i szepty momentalnie ucichły. W środku panowały ciemności, rozjaśniane tylko pojedynczymi halogenkami umieszczonymi po kątach. Atmosfera była co najmniej dramatyczna – wszystkie kobiety, którym udało się dostać do środka, milczały zaaferowane. Jakiś raczej rozebrany niż ubrany młodzieniec odebrał nasze bilety i wskazał nam miejsce na czarnej sofie stojącej blisko baru. Idealnie! Przyniosłam Ewce brooklynbridge'a, sama zaopatrzyłam się w żubrówkę z sokiem, ale zanim usiadłam z powrotem, ona wypiła całego drinka.

– Siostra, nie przesadzasz trochę z tym alkoholem?

– Jakim alkoholem? Przecież to był sok z lodem i z... Z alkoholem?

Poszłam po następną kolejkę dla spragnionej doświadczeń, jakie z pewnością przyniesie jej ten wieczór.

– Trochę dziwne miejsce jak na występ zespołu tanecznego, nie sądzisz? – zapytała, kiedy upiła ostrożny łyk z kolejnego brooklynbridge'a. – Co to właściwie za zespół? Teraz już chyba możesz mi powiedzieć.

– Zobaczysz – uśmiechnęłam się tylko – zaraz zobaczysz.

Rozdzwoniła mi się torebka, zgromadzeni w sali goście spojrzeli na mnie złowrogo. Halo, przecież nie jesteśmy w teatrze?! Z trudem hamując poczucie winy, odebrałam telefon.

– I co? Już ją reanimujesz? – To była Anka, troskliwa jak zawsze.

– Jeszcze czekamy, chyba trochę się spóźniają, najwyraźniej podgrzewają atmosferę.

– Załatwiłam wam dobre miejsca? Już na samym barze niestety nie było.

– Anka, jesteś cudotwórczynią! Nie wiem, jak ci się odwdzięczę, coś wymyślę.

– No to miłego, jakbyś potrzebowała pomocy, dzwoń.

Tym razem wyłączyłam komórkę. Gdyby zadzwoniła w trakcie występu, niechybnie zostałabym zlinczowana przez rozhisteryzowany tłum. Usłyszałam pierwsze dźwięki muzyki, *show* się właśnie zaczynał. Dwa reflektory rozświetliły mahoniowy bar, wyłuskując z ciemności boga. Półnagiego, pięknego mężczyznę o anielsko wymodelowanym ciele. Drugi bóg kocim ruchem wskoczył na krzesło barowe, trzeci zastygł wsparty o bar, czwarty przywarł do ściany, potem już nie byłam w stanie ich policzyć. Kiedy po występie wyszli na owacje krzyczących kobiet, miałam wrażenie, że jest ich około dwudziestu. Zerknęłam na Ewkę – siedziała jak zahipnotyzowana, przynajmniej dopóki jeden z tancerzy nie podszedł do niej i nie zajął mi miejsca. Nie byłam pewna, czy jej angielski jest na tyle dobry, by się z nim dogadała, ale skoro siedzieli na tej sofie ponad godzinę... Cóż, istnieją jeszcze inne uniwersalne języki, nie tylko angielski. Krążyłam z kolejną żubrówką po knajpie, próbując namierzyć znajome twarze, ale wyglądało na to, że żadnej z moich koleżanek nie udało się dostać na występ. *Show* był wspaniały, co prawda chłopcy w ciuchach, które przynajmniej część z nich włożyła na siebie po występie, nie prezentowali się już tak doskonale, ale wciąż było na co popatrzeć. Jeden z nich oparł się łokciami o bar, ze skąpych, czarnych, skórzanych (tego ostatniego nie byłam pewna, dotknięcie słono kosztowało) slipów wystawały mu banknoty euro. To była jedna z ich zasad: przyjmowali tylko i wyłącznie tę walutę. Przed ich *tournée* zawsze robił się większy ruch w polskich kantorach. Wyjął mi z dłoni szklaneczkę z drinkiem, upił i na odchodnym rzucił:

– *I didn't know that you had gondoliers here, honey.*

Co za patafian!

Nie miałam serca wyciągać stamtąd Ewki, bardzo dobrze komponowała się z czernią sofy i oliwkową cerą seksownego, wydepilowanego mężczyzny w czarnych, prawdopodobnie skórzanych (muszę zapytać siostrę, bo ona chyba nie musiała płacić) slipach. Cóż, skoro jednak obiecałam matce, że o dwudziestej trzeciej trzydzieści zwolnimy ją z obowiązków wobec wnuków, musiałam przegonić z sofy boga albo demona seksu i porwać moją rozanieloną siostrę. Przez całą drogę do domu słuchałam jej westchnień. Minęły się z matką na schodach, mnie przypadło w udziale odwiezienie jej taksówką do domu.

– Nareszcie – sapnęła, wsiadając do samochodu. Kwiatowa woń jej perfum momentalnie podziałała na kierowcę, który zaczął kichać i przecierać załzawione oczy. Otworzył nawet szerzej okno, ale nie tak łatwo pozbyć się ulubionych zapachów mojej matki. – Już zaczęłam podejrzewać, że wsiadłyście do samolotu i zostawiłyście mnie z tą gromadą rozszalałych bawołów.

– Mamo, to są twoje wnuki. Pozwól, że ci przypomnę: kochasz je, masz absolutnego babcinego świra na ich punkcie. Nie rozmawiajmy już dziś o tym, bo jutro będziesz żałowała każdego słowa. Rano zapomnisz o wieczorze i wszystko wróci do normy.

– No dobrze, w takim razie powiedz mi, co się dzieje.

– Przestała poprawiać bukiecik sztucznych fiołków przy słomkowym kapeluszu i spojrzała na mnie przenikliwym wzrokiem. To gorsze niż obstrzał artylerii.

– Chodzi ci o Ewkę i Adama? Zwyczajne problemy małżeńskie, albo się dogadają, albo się rozejdą. Zdarza się.

– To wiem, pytam o ciebie.

No to klops, wpadłam po uszy, a byłyśmy dopiero w połowie drogi. Do domu jeszcze daleko.

– Dzwoniłam do ciebie do pracy. Dlaczego nam nie powiedziałaś?

– Mamo, już dawno chciałam stamtąd odejść – kłamałam jak wyspecjalizowany agent. – W końcu nadarzyła się okazja i skorzystałam. Teraz pracuję nad rozkręceniem własnego interesu, poza tym znowu sprzedaję zdjęcia agencjom i wszystko jest wreszcie tak, jak ma być. – No, tym razem p r a w i e nie skłamałam. Jesteśmy już pod cmentarzem Podgórskim, świetnie, coraz bliżej do celu.

– Martwię się o ciebie, poza tym starzejesz się, a wciąż nie masz mężczyzny.

107

Zaczęło się. Ten temat powracał jak bumerang raz na trzy, cztery miesiące, zazwyczaj udawało mi się jakoś z niego wymiksować, ale teraz byłam zbyt zmęczona, by bronić mych fortyfikacji. Poddałam się:

– Właściwie to spotykam się z kimś.

– Cudownie, przyprowadź go na niedzielny obiad!

Och, ten mój niewyparzony jęzor! Musiałam coś wymyślić, i to szybko.

– Yyyy, może kiedyś, bo w tej chwili wyjechał do Hiszpanii, sprawy służbowe.

– Do Hiszpanii? Zawsze marzył mi się urlop na słonecznej plaży...

Pomocy!!! Ja chcę wysiąść z tego samochodu!

– To może pojedziesz na tydzień na Hel? Odpoczniesz sobie od wnuków i problemów małżeńskich Ewki. – To nie była zbyt wyrafinowana taktyka wojenna, ale zawsze coś. Sabotaż na tyłach wroga. Liczyłam na to, że złapie haczyk.

– A kto się zajmie dzieciakami, jeśli dalej będziesz wyciągać swoją siostrę na wieczorne imprezy?! Gdzie wy w ogóle byłyście? Ewa nie chciała mi nic powiedzieć.

Ha! Udało się, jednak znam własną matkę.

Zanim wysiadła, wymusiła na mnie, że przyjdę w niedzielę na obiad. Szykowała się rodzinna imprezka. Obiecałam sobie, że jak tylko wrócę, przejrzę szafę i poszukam jakiejś kreacji, którą dostałam od niej podczas jednej ze świętych sobót. Potrzebowałam czegoś, co poprawi jej nastrój, a poza tym w poniedziałek będę mogła odnieść ciuch do komisu... Zawsze coś wpadnie mi do kieszeni. Jednak kiedy już weszłam do siebie, Kastrat wybudzony z głębokiego snu spojrzał ze zdziwieniem na zegar. Jasne, zna się na zegarku przez cały dzień i pół nocy, za to kiedy szaleje od czwartej do siódmej rano, ma totalny regres. Była dopiero północ, a ja ledwo trzymałam się na nogach. Marzyło mi się łóżko, bez zmywania makijażu, mycia zębów i prysznica. Spaaaać. Przyłożyłam głowę do poduszki i kiedy już miałam odpłynąć na bezludną wyspę, na której czekał na mnie José w czarnych skórzanych slipkach, na wodzie łagodnie kołysała się gondola, a ja... usłyszałam huk. Nieprzytomna, usiadłam na łóżku i rozejrzałam się po pokoju. Przez chwilę nic nie było słychać, więc zwaliłam to na karb zakłóceń sennych, widocznie samoczynnie uruchomił mi się mechanizm autocenzury, który nie pozwolił mi wsiąść do gondoli i popłynąć do... Znów huk. I podniesione głosy. I tłuczenie talerzy. Nade mną. To chyba przystojniak rozrabia. Ktoś krzyczał, a druga osoba odpowiadała spokojnym głosem, więc słyszałam tylko kwestie jednego aktora. Ale za to jakie! „Jak mogłeś mi to zrobić?! Delfinku, spójrz na mnie! Powiedz mi prawdę, spałeś z nią? O Boże! A jednak! Dlaczego łamiesz mi serce?". Tu nastąpiła przerwa na szloch przerywany rozpaczliwym łkaniem. „Kochasz ją?! Powiedz mi, kochasz ją? A ja? Nie masz serca, ty nieczuły potworze. Kochałem cię, troszczyłem się o ciebie, a ty przez cały czas mnie zdradzałeś? Och, Delfinku, powiedz, że to nieprawda, że to wymyśliłeś, że chciałeś zwrócić na siebie moją uwagę, powiedz tylko to, a wszystko będzie jak dawniej. Delfinku!".

Zrobiło mi się żal Maniusia, od dawna powinien wiedzieć, że mężczyźni to naród zdradziecki i nie można im ufać. Dlatego podniosłam się z łóżka, wsunęłam stopy w kapcie i poszłam piętro wyżej. Drzwi otworzył mi po chwili sąsiad.

– Jest Maniuś? – Przeszłam od razu do konkretów, poza tym nie zamierzałam marnować czasu na pogawędki ze zdradliwym fagasem.

Zapłakany olbrzym wyłonił się zza pleców przystojniaka. Miał co najmniej dwa metry wzrostu i klasyczną budowę ciała ABS-owców – absolutny brak szyi sprawiał, że maleńka główka wyrastała wprost z umięśnionych ramion, które wciąż jeszcze drżały od szlochu.

– Maniuś, nie pozwól mu na takie zachowanie. Masz swoją godność, nie wolno ci się poniżać przed takim dupkiem jak on. Zdradził cię, nadużył twojego zaufania, obraził cię. Przestań się przed nim płaszczyć i wróć z honorem do siebie.

Wygłosiwszy całą kwestię, odwróciłam się na pięcie i poszłam do domu. Byłam już na tyle rozbudzona, że jednak postanowiłam się umyć. Weszłam do łazienki i wrzasnęłam. Zobaczyłam się w lustrze z rozmazanym na całej twarzy makijażem i kataklizmem zamiast fryzury. Wyglądałam jak zombi. Tej nocy śniło mi się, że wsiadłam do gondoli, ale utknęłam na mieliźnie, gdzie przeraźliwie śmierdziało kanalizacją. Z oddali widziałam, jak na wyspie José wita się z Maniusiem, a przystojniak w roli kelnera nalewa im szampana do kieliszków z muszli. To był koszmar.

Od tamtej nocy sąsiad przestał mi się kłaniać. Nawet megiera skarżyła mi się, że nagle zrobił się nieuprzejmy, i łypnęła na mnie jednym okiem, jakby posądzając mnie o spowodowanie tej zmiany. Ale czy to moja wina, że tak potraktował Maniusia?

ROZDZIAŁ TRZYNASTY
– NARESZCIE!

Szedł kilkanaście kroków przede mną. Przygotowałam się na to, że znów udamy się do pensjonatu na Stolarskiej, w kieszeni miałam nawet przygotowanych kilka banknotów, by przekupić sprzątaczkę albo ciecia w kamienicy naprzeciwko. Byłam gotowa na wszystko, nawet gdybym miała zrobić mu zdjęcie z odległości metra, a potem dać nogę. Tymczasem on udał się na postój taksówek i odjechał w kierunku Poczty Głównej. Hej, nie taki miał być scenariusz! Wsiadłam do następnego samochodu i rzuciłam kierowcy:
– Za tamtą taksówką. – Gość obejrzał się na mnie, zsunął okulary na czubek nosa i wlepił we mnie wzrok. – Yyy, widzi pan, w tamtej taksówce jedzie mój mąż, który mnie zdradza. Muszę wiedzieć z kim.

Nigdy nie wierzyłam w męską solidarność, i słusznie. Taksówkarz skontaktował się z centralą i zapytał, dokąd pojechał właśnie Mietek. „Kurs na Krzemionki, pod kopiec Kraka" – zaskrzeczało w odpowiedzi. Taksówkarz mrugnął do mnie okiem i pojechaliśmy prosto pod kopiec. Zobaczyłam go już z daleka, stał na ścieżce i najwyraźniej na kogoś czekał. Wysiadłam nieco dalej, żeby przypadkiem nie nabrał podejrzeń.

— Powodzenia! – życzył mi na odchodnym taksówkarz, któremu dałam sowity napiwek za wspieranie zdradzanych żon.

Wokół kopca kręciło się kilka osób, część psiarzy wyprowadzających zwierzaki na popołudniowe siknięcie i jak zawsze jacyś turyści. Ruszyłam powoli w stronę cmentarza Podgórskiego, gdybym stała dłużej w jednym miejscu, mogłabym wzbudzić jego podejrzenia. Na szczęście niemal w tym samym momencie zjawiła się dziewczyna z pracy. I dobrze, bo już zaczęłam się obawiać, że Adonis tym razem wybrał się na zwykły spacer, by odetchnąć świeżym powietrzem. Liczyłam na to, że może zaczną się całować na jakiejś obszczanej ławce, dobry obiektyw zapewnia maksymalne zbliżenie, zapowiadał się udany dzień. Ruszyłam za nimi w odpowiedniej odległości, zrywając od czasu do czasu jakieś chwasty, co prawda lepszy byłby pies, ale skąd miałam wytrzasnąć psa? Minęli kopiec i odbili w stronę kamieniołomu. Po drugiej stronie teren był bardziej zasłonięty, krzaki i drzewa idealnie umożliwiały małe, zaciszne *tête-à-tête*. Nic nie mogło mnie powstrzymać przed zrobieniem dziś kilku doskonałych zdjęć. W dodatku pogoda była znakomita, idealne światło do ujęć na tle przyrody. Minęli na ścieżce trzy osoby, które powoli zbliżały się w moim kierunku. Zaraz, zaraz, skądś je kojarzę. Czyżby to były...? Jedna z nich kiwnęła mi głową i przeszły w posępnym milczeniu obok mnie. Trzy Hinduski z kafejki, które już wcześniej musiałam gdzieś spotkać, tylko gdzie? Przerwałam jednak szybko te rozważania, bo Adonis z dziewczyną zniknęli ze ścieżki. Podeszłam więc na skraj urwiska i udając, że szukam kolejnych chwastów do mojego całkiem już sporego bukietu, próbowałam ich zlokalizować. Oto i oni. Ptaszki uwiły sobie gniazdko w cieniu drzewa, schowane, jednak nie do końca, za rozłożystym krzakiem. Wyjęłam aparat z torby, teraz musiałam już tylko czekać na odpowiedni moment. Namierzyłam doskonałe miejsce w sąsiedniej kępce wysokiej trawy i... potknęłam się o czyjeś wyciągnięte nogi. O Boże, trup!, przemknęło mi przez głowę. Na szczęście właściciel nóg wciąż jeszcze żył, obudzony, wymruczał coś pod nosem i wynurzył resztę ciała z trawy.

– Ada? Czy to ty na mnie właśnie weszłaś, czy to mi się śni?

– José, co ty tu robisz?

– Chyba uciąłem sobie przemiłą drzemkę w cieniu. Popołudnie było idealne na spacer, ale kiedy już tu usiadłem, tak cicho i spokojnie, te świerszcze... Sama rozumiesz. Tylko nie mów, że chciałaś mi zrobić zdjęcie. – Kiwnął głową na aparat, który wciąż trzymałam w ręku.

– Już dawno nie robiłam zdjęć w kamieniołomie, a stąd jest świetny widok z góry. Widziałeś tę urwistą ścianę? – Musiałam odwrócić jego uwagę od tamtych krzaków, nie chciałam ich przepłoszyć.

José dopiero przytomniał, wyglądał rozbrajająco, kiedy tak przecierał oczy, mrużąc je przed światłem słonecznym. Sięgnął po swój plecak, z którego następnie wyjął...

– Termos? Po co ci termos na spacerze? – Parsknęłam stłumionym śmiechem.

– Trzeba być zawsze przygotowanym na wypadek, gdyby nagle na łonie natury spotkało się piękną kobietę i chciało zaprosić ją na kawę. – Odkręcił korek i poczułam cudowny zapach parzonej kawy. – Niestety, mam tylko jeden kubek, więc chyba będziemy pić z jednego. – Spojrzał na mnie spod przymrużonych powiek, a ja zaczerwieniłam się jak ostatnia pensjonarka. – Nie stój tak, przysiądź się do mnie.

Hm, właściwie to nie tylko Adonis może się obściskiwać w tamtych krzakach, prawda? Jakkolwiek by na to spojrzeć, każde krzaki są dobre, nawet te. Upiłam łyk gorącej kawy i oddałam mu kubek, a on dotknął go ustami dokładnie w tym samym miejscu co ja...

– O Boże, José, skończmy tę głupią grę. Widzę, jak na mnie patrzysz, jakiego tonu używasz, kiedy ze mną rozmawiasz, jak cieszysz się, kiedy mnie widzisz. A ty, choćbyś nie chciał, i tak musiałeś zauważyć, jak na mnie działasz, więc przestańmy już udawać. Wiem o Glorii, nie chcę wiedzieć, czy ją kochasz, chcę tylko usłyszeć od ciebie, że ci się podobam, że zrobiłbyś wszystko, żeby zedrzeć z nas te ubrania, i...

– Od dawna robisz zdjęcia?

No dobra, tylko chciałam mu to powiedzieć. Jestem tchórzem, no i co z tego?

– Od zawsze. Pierwszy aparat dostałam chyba na dziesiąte urodziny, rozpadającą się smienę, pewnie nawet nie wiesz, co to jest. – Roześmiałam się. – Mam jeszcze zdjęcia, które wtedy robiłam. Kiedyś może ci je pokażę, ubawisz się z precyzyjnie wykadrowanych fotek stóp i kolan. Potem, z biegiem czasu kupowałam sobie coraz lepszy sprzęt, szkoliłam się na znajomych, mam piękną serię męskich aktów, chociaż każdego z moich chłopaków długo musiałam do tego namawiać. I wiesz co, po tych wszystkich latach największą przyjemność nadal sprawia mi robienie portretów. Wtedy skupiasz się na detalach, zmarszczkach wokół oczu, delikatnym meszku na policzkach, żeby w ułamku sekundy uchwycić na kliszy to wszystko, co wiesz o drugiej osobie.

Rozgadałam się. Jak nikt mnie nie powstrzyma, to o zdjęciach mogę mówić na okrągło, dwadzieścia cztery godziny na dobę, z przerwą na seks. Och, znowu to zakazane słowo! Muszę kontrolować swoje myśli przy José. Gadałam i gadałam, a on siedział, pił kawę i mnie słuchał. Nie, on naprawdę mnie s ł u c h a ł. Zadawał odpowiednie pytania, uśmiechał się, kiedy opowiadałam o rzeczach zabawnych, śmiał się, gdy tego oczekiwałam, był poważny, kiedy mówiłam o tym, co dla mnie istotne. Miałam ochotę go uszczypnąć i przekonać się, czy na pewno jest prawdziwy. Tak się nie zachowuje przeciętny facet, tak się nie zachowuje n o r m a l n y facet. Boże, czemu on nie jest gejem, wszystko byłoby prostsze! A tak z jednej strony była olśniewająca Gloria, a z drugiej – jego spojrzenie utkwione w moich oczach.

– Ada, nie mogę tak dłużej, szaleję na twoim punkcie! Jesteś kobietą, której szukałem przez całe swoje życie, nie potrafię tak po prostu odejść i zapomnieć o tobie. Czy ty wiesz, ile razy stawałem nocą pod twoimi oknami, łudząc się, że może wyjrzysz i zaprosisz mnie? Jestem nieprzytomny z miłości do ciebie.

Mógłby tak powiedzieć, prawda? Nie miałabym nic przeciwko. Może nawet na początku udawałabym nieco oporną. Albo lepiej nie. Nie, bez sensu, szkoda czasu. Nie pozwoliłabym mu dokończyć, po prostu rzuciłabym się na niego. A tak tylko siedzieliśmy i rozmawialiśmy, piliśmy jego kawę z jednego kubka, kiedy zapadała na moment krępująca cisza, bawiliśmy się źdźbłami trawy i zrzucaliśmy z siebie mrówki. Właśnie, mrówki.

– José, nie ruszaj się, to chyba mrówka, ale jak ci wpadnie do oka... – Nie dokończyłam, pochylając się w jego stronę. On zastygł w całkowitym bezruchu i zamknął oczy. Nie było żadnej mrówki, ale nie mogłam sobie odmówić przyjemności zanurzenia dłoni w jego włosach. Udając, że szukam natrętnego owada, pogładziłam jego czoło, odsunęłam na bok grzywkę i musnęłam kosmyki wijące się wokół uszu. Jedna nieistniejąca mrówka, a tyle radości. Byłam tak blisko, że czułam jego zapach. Pachniał jakby trochę cynamonem, a może goździkami, zupełnie nie mogłam się skupić. Wtedy zorientowałam się, że otworzył oczy i patrzy na mnie już od jakiegoś czasu.

– O, złapałam tego paskudnego owada! – Wstrzymując oddech, strząsnęłam mu z włosów jakiś paproch.

A on rozchylił lekko wargi i nagle jego nos znalazł się tuż przy moim. Poczułam na ustach jego ciepły, kawowy oddech i...

Zobaczyłam, jak za jego plecami w sąsiednich krzakach nagie ciało Adonisa podryguje rytmicznie w takt niesłyszalnej muzyki. Momentalnie podniosłam z trawy aparat i zaczęłam robić zdjęcia. Zmieniłam trochę pozycję, przykucnęłam bliżej urwiska – stamtąd to dopiero miałam widok! Te fotki będą na wagę złota. Adonis chyba preferował klasyczne pozycje seksualne, bo spod niego zupełnie nie było widać twarzy dziewczyny. Poruszał się coraz szybciej, zaraz nie będzie czego fotografować, musiałam się spieszyć. W końcu wyprężył się i opadł bezwładnie na swą... hm, pracownicę. Uszczęśliwiona, schowałam obiektyw i odwróciłam się do José. Teraz możemy zająć się właściwymi rzeczami, pomyślałam, uśmiechając się do niego promiennie. Bez wzajemności, niestety. Podczas kiedy pstrykałam fotki, on już zdążył schować termos do plecaka. Stał, spoglądając wymownie na zegarek. Niech zgadnę, pewnie umówił się z narzeczoną. Cóż, jego strata, ja lecę wywołać zdjęcia. Pożegnałam się i popędziłam do znajomego fotografa, który miał na Podgórzu własne laboratorium.

ROZDZIAŁ CZTERNASTY,
CZYLI ZA CO ADA KOCHA SWOJĄ RODZINĘ

Niedziela zaczęła się w najlepszy z możliwych sposobów – po sobotnim wieczorze spędzonym z Anką i jej znajomymi na punkowym koncercie w Kawiarni Naukowej i spokojnym piwku przy wielkim kamiennym blacie stołu, wokół którego zebrali się wszyscy krakowscy anarchiści, poszłam grzecznie do domu. Dzięki tym kilku godzinom poczułam się jak na egzotycznej wycieczce w tereny nieskażone cywilizacją, na których tubylcy nie władają językiem pieniędzy, sukcesu i branży. Ach, jak cudownie i relaksująco! Chyba powinnam bywać tam częściej w ramach autoterapii. Człowiek nabiera wiary w siłę umysłu, ducha, czystych etycznych zasad, marzy o jakiejś pikiecie albo co najmniej blokadzie Rospudy, rosną mu skrzydła, zamawia drugie piwo, jest coraz lepiej, a potem wychodzi z klubu i wszystko wraca do normy. Wróciło, jak tylko znalazłam się na ulicy Jakuba. Na szczęście byłam wyjątkowo pozytywnie nastawiona do życia, więc nadmiar energii wywołanej ostatnio udaną sesją zdjęciową zachował się w stanie czystym aż do momentu, kiedy przekroczyłam próg mieszkania. Wtedy to na środku przedpokoju ujrzałam wielką niekształtną plamę czegoś, co zapewne kiedyś było moją firanką, w dodatku wiszącą w oknie. Zagrzebany w materiale, spał sobie beztrosko Kastrat, wyglądał jak uszczęśliwiona panna młoda, która przy ołtarzu pokazała panu młodemu figę i zawczasu dała nogę. Roztkliwiłam się tak bardzo, że aż zrezygnowałam z zamiaru wyrzucenia kota przez okno, choć przez moment myśl ta wydawała mi się niezwykle kusząca. Zasnęłam niepostrzeżenie nad chicklitem, który łaskawie pożyczyła mi siostra, a snu tym razem nie zakłóciła mi ani megiera profilaktycznym waleniem miotłą w ścianę, ani przystojniak z góry, który tej nocy najwidoczniej spał w innym łóżku. Obudziłam się wypoczęta, pełna dobrej energii i miłości do świata. Kwiaty od José wciąż stały w wazonie, kawa pachniała, muzyka leniwie sączyła się z głośników, po prostu raj. Postanowiłam nawet zrobić porządek w szafie, ale gdy tylko spojrzałam w jej stronę, uruchomił mi się proces logicznego myślenia, który błyskawicznie wyzwolił moje głęboko skrywane prawdziwe nastawienie do życia.

– O kurwa – jęknęłam.

Kastrat spojrzał na mnie, potem na szafę i znów na mnie. W szafie były ciuchy, w tym te, które zamierzałam upłynnić w komisie, czyli ofiarowane mi w geście niekontrolowanej miłości matczynej. W geście kontrolowanej miłości córki miałam coś z nich wybrać po to, żeby włożyć na rodzinny obiad, który miał odbyć się tego tak dobrze zapowiadającego się dnia. Przecież była niedziela! A już wszystko było na najlepszej drodze do tego, bym po prostu o tym zapomniała. W tym samym momencie dostałam wiadomość od Ewki:

– NAWET NIE MYSL O TYM ZEBY NIE ISC NA OBIAD DO MAMY.

A gdyby tak rozładował mi się telefon? Albo gdybym miała jakiś wyciek gazu w mieszkaniu czy coś w tym stylu... Jesteś wyrodnym dzieckiem, powiedziałam do siebie, okrutnym, pozbawionym serca potomkiem. No i nic, żadnego poczucia winy, choćby odrobiny konsternacji moralnej, chyba się już uodporniłam. Doskonale wiedziałam, jak będzie wyglądało dzisiejsze spotkanie u matki, o czym będziemy rozmawiać i czyje flaki wywlekać na wierzch. Istnieje szansa, że jak się trochę postaram i zastosuję odpowiednią taktykę, to jej uwaga skupi się na problemach małżeńskich Ewki. To był znakomity pomysł. Podbudowana ową myślą, zanurzyłam się w czeluście szafy, skąd wyjęłam trzy potencjalne komplety na dzisiejszą okazję. Zestaw numer jeden – idealna kompozycja dla samodzielnych kobiet, które wszak cenią sobie odrobinę sentymentu, wrażliwości i artyzmu, co podkreślają szykowne koronkowe wykończenia dekoltu oraz rękawów sukni. Głęboko wcięta w pasie, wydobywa to, co najpiękniejsze z kobiecej sylwetki, nie uchybiając przy tym czci niewieściej, która nietknięta, chowa się fałdach dołu sukni, obficie okalających kostki. Do kompletu brakowało mi mokrych od rosy wrzosowisk, po których biegłabym z tomikiem wierszy w ręku na spotkanie z ukochanym. Rozważałam, czy nie odnieść tego jednak do komisu, ale po chwili wahania rzuciłam to szkaradztwo kotu do zabawy, być może po godzinnej sesji z pazurami Kastrata kreacja ta nabierze jakiegoś blasku. Do wyboru została mi czarna garsonka w kwiaty albo... niebieska folia? Nie, to tylko pokrowiec, dopiero pod nim odkryłam prawdziwe cudo – zjadliwie zieloną kieckę na ramiączkach z wielką różą z materiału, która dyndała smętnie przyczepiona – sprawdziłam – na stałe do paska. Był to najgorszy z możliwych odcieni zieleni, w którym każdy wygląda jak rozkładający się delikwent wyłowiony po tygodniu z Wisły. Gdybym włożyła tę sukienkę pod długi czarny sweter, może i byłabym w stanie przemieścić się w niej z Miodowej do Płaszowa bez większych szkód w mej psychice. Na wszelki wypadek zadzwoniłam po taksówkę. Myśl o tym, że miałabym w tym paskudztwie czekać na przystanku na tramwaj, zmroziła mi krew w żyłach. Cóż, nawet poświęcenie ma swoje granice. Zamierzałam zjawić się u mamy nieco wcześniej, żeby wprawić ją w odpowiedni nastrój matczynej troski o tę drugą córkę, ale zdaje się, że i Ewka o tym pomyślała, bo przywitała mnie w drzwiach ze zwycięskim uśmiechem. Ciekawe, na którym etapie mojej biografii się zatrzymały.

– Ciociu, ciociu, a babcia właśnie powiedziała, że jeszcze trochę, a już będziesz za stara na męża. To prawda?

– Niezmiennie wysoka forma mojego najmłodszego siostrzeńca wróżyła mu raczej krótki żywot.

– Stasiu, nie męcz cioci, włącz sobie lepiej telewizor.

Uśmiechnęłam się radośnie do małego i wycedziłam do Ewki:

– Wszystko słyszałam.

– Ada, jesteś wreszcie! Siadamy do stołu – mama niewinnym tonem zawołała z kuchni i zagnała dzieciaki do pokoju jadalnego.

Przy barszczu z pierogami, od którego zaparowały szyby w oknach, Ola odłożyła łyżkę na stół, wyprostowała się na krześle i poważnym tonem oświadczyła:

– Ja nie chcę być starą panną.

Dokładnie w tym momencie kawałek pieroga stanął mi w gardle, Jędrek uczynnie zerwał się i wyrżnął mnie porządnie w plecy, przewracając przy okazji talerz. Uwolniona zupa błyskawicznie pochłonęła biel obrusa i w ciszy, jaka nastąpiła po katastrofie, skapywała sobie spokojnie z drugiego końca stołu na podłogę. Matce nie drgnęła nawet brew. Było jednak gorzej, niż myślałam. Ewa skupiła się na swoich pierogach, a zafascynowana Ola wpatrywała się w pojedyncze krople barszczu, które cudem doleciały do ściany. Jeszcze przed chwilą białej.

Kiedy już odetchnęłam po akcji ratunkowej Jędrka, niewinnie zapytałam małej:

– A co? Wolałabyś pracować na przykład w sklepie z bielizną?

Ewka wbiła we mnie morderczy wzrok. To była walka na śmierć i życie. Jak wywnioskowałam z miny matki, nie została wtajemniczona w kwestię czerwonych majtek z rozcięciem w kroku, co dawało mi pewną przewagę. Siostra okazała się jednak trudnym przeciwnikiem.

– Mamo – odezwała się spokojnym głosem – przynieś może czysty obrus, a ja ten spłuczę pod zimną wodą. – A kiedy matka zniknęła w drugim pokoju, spojrzała na mnie i wypowiedziała bezgłośnie: – Ani mi się waż.

– Ola, a może na przykład w księgarni? – Niezrażona, kontynuowałam rozmowę z siostrzenicą. – Mogłabyś na miejscu czytać sobie przeróżne książki, powieści czy – zrobiłam znaczącą przerwę na przełknięcie ostatniego pieroga – czy poradniki.

Wygrałam. Czerwona na twarzy Ewka poszła z obrusem do łazienki, a ja z miną aniołka udałam się po drugie danie. W kuchni na stole leżał obrazek, który pewnie Staś namalował dla babci. Na samym środku kartki znajdował się olbrzymi smok, obok niego stała królewna (niebieska sukienka do ziemi i korona na głowie), która mierzyła do bestii z pistoletu. Z jej ust unosił się komiksowy dymek – w środku zapisane koślawym pismem siedmiolatka widniało słowo: PUTAMADRE. Po obiedzie dzieciaki zaległy z ogromnymi porcjami lodów przed telewizorem, a my siedziałyśmy przy kawie, rozmawiając ściszonymi głosami.

– Czy ten mężczyzna, z którym się teraz spotykasz, to coś poważnego? – rzuciła znad filiżanki matka, nie podnosząc nawet głowy.

Spojrzałam zdziwiona na siostrę, spotyka się z kimś i nic mi nie powiedziała? Ewka oparła łokcie na stole i wlepiła we mnie wyczekujący wzrok. Hę? Nie chodzi o nią? Chodzi o... Aha.

– Yyy, chyba jeszcze za wcześnie, by o tym mówić, po prostu się spotykamy. – Zamieszałam energicznie kawę w filiżance. – A ty, Ewa? Dogadaliście się z Adamem?

Bardziej przypominało to zabawę w gorącego ziemniaka.

– Małżeństwo to co innego – wtrąciła szybko mama. – Człowiek nie może tak zwyczajnie spakować walizek i odejść, zostawiając za sobą rodzinę. To są więzy, sakrament, poważna sprawa dla poważnych ludzi, którzy prędzej czy później zawsze się ze sobą dogadają.

OK, zbliżałyśmy się do odpowiedniego tematu, teraz tylko wystarczyło umiejętnie nim pokierować i niebezpieczeństwo zostanie zażegnane.

– Mamo, jednak nie wszyscy się dogadują. Czy ty wiesz, że rozwodów jest znacznie więcej niż ślubów? Rozbite rodziny, kobiety samotnie wychowujące dzieci pozbawione ojców, alkoholizm i depresja... – Trochę się zagalopowałam, ale musiałam przygotować teren. – Przecież jak rozpada się rodzina, nie jest to takie łatwe jak zerwanie z chłopakiem. Dzieli się na pół nie tylko majątek, ale całe życie.

– Nie wiedziałam, ile jeszcze podobnych banałów będę musiała wypowiedzieć, zanim osiągnę odpowiedni efekt, więc trzeba było uważać na zapas amunicji. Nie mogłam jej zbyt szybko wyczerpać.

Zaniepokojona mama utkwiła wzrok w Ewce, która zaczęła wiercić się na krześle, ale żadna z nich nawet nie próbowała mi przerywać. Dziwne.

– Poza tym małżeństwo to ogromna presja, odpowiedzialność za drugą osobę, za dzieci, za ich przyszłość, a po rozwodzie na kogo to wszystko spada? No, oczywiście że na kobietę, widziałyście kiedyś, żeby...

– Właśnie, dzieci – przerwała mi matka, a ja obejrzałam się na siostrzeńców, zastanawiając się, czy nie za głośno mówię o rozwodach. Nie chciałam ich niepotrzebnie stresować. – Niebawem będziesz za stara, żeby mieć dzieci. Już najwyższy czas, żebyś spoważniała, zajęła się czymś rozsądnym w życiu i znalazła sobie męża.

Wsypałam do kawy łyżeczkę cukru. Zamieszałam. Jestem kwiatem lotosu na spokojnej, niezmąconej tafli jeziora. Kolejna łyżeczka. Mam wszystko pod kontrolą. Nikt mnie dziś nie zdenerwuje. Następna. Nie dam się wyprowadzić z równowagi. Jestem wcieleniem harmonii i...

– Przecież ty nie słodzisz. Poza tym masz już trzydzieści dwa lata! Czas się ustatkować. Spójrz tylko na swoją siostrę. Ona przynajmniej osiągnęła to, o czym marzy każda kobieta.

Spojrzałam na Ewkę i dziwnym trafem ujrzałam czerwoną bieliznę, zapewne idealnie pasującą na ciocię Monikę.

Ach, to o tym marzy każda kobieta! Czemu nikt wcześniej mi tego nie powiedział? Ewka chyba dostrzegła to w moich oczach, bo wyszła z pokoju, mówiąc coś o moczącym się w łazience obrusie.

– Ada, musisz uporządkować swoje życie, znaleźć porządną pracę i ojca dla swoich dzieci.

Ciekawe, czy wykupiła mi już miejsce w dziale ogłoszeń w „Gazecie Krakowskiej"? *Pilnie odkupię za każdą cenę odpowiedzialnego, przystojnego mężczyznę w wieku rozrodczym – rocznik najlepiej 70., z dobrą pracą i ambicjami. Gej wykluczony. Wzrost dowolny, jednak nie poniżej 168 cm.*

– Ciociu, ty masz jakieś dzieci? – Wielkie oczy Oli wyzierały na mnie spod stolika.

– Dzieci? Jakie dzieci? – Staś wypełzł spod krzesła Ewki.

– No jak to jakie? Normalne. Człowiek się nie zabezpieczy i potem się kończy aferą z dzieciakami – rzucił nonszalanckim tonem Jędrek, nie odrywając nawet wzroku od telewizora.

– Zabezpieczy przed czym? – rzeczowo zapytał Staś.

O nie, o moim życiu seksualnym te szczeniaki nie będą rozmawiać!

– Sio stąd, potwory, albo nie zabiorę was w następną niedzielę do kina!

Podziałało. Wiem, jak na nich wpłynąć. Byłabym idealną matką... O Boże, co ja wygaduję?!

Ewka wróciła z łazienki z lekko zmienioną twarzą.

– Dzwonił do mnie Adam – powiedziała na tyle cicho, by dzieci jej nie usłyszały.

– I co? – równocześnie z matką zapytałyśmy, momentalnie zapominając o mej skromnej osobie. Co za ulga...

– Chciał się ze mną spotkać w neutralnym miejscu, czyli poza domem, żeby porozmawiać.

– Zgodziłaś się, mam nadzieję?

– Taak – przyznała bez entuzjazmu – ale dopiero w czwartek.

– To jeszcze cztery dni! Dlaczego nie jutro?

– Powiedział, że może dopiero w czwartek, a ja nie nalegałam na wcześniejsze spotkanie – odparła chłodno.

Oczywiście, zapomniałam, że to nie on znalazł czerwone gacie z rozcięciem, ale ona. To jakby zmieniało perspektywę. Zostały mi więc raptem trzy dni na dowiedzenie się, kim jest kochanka Adama i czy łączy ich coś poważnego. Ewka nie wyglądała na specjalnie zaangażowaną, musiałam sama się tym zająć. Kiedy z matką zmywały w kuchni po obiedzie, wzięłam w obroty Stasia.

– Kochanie, lubisz ciocię Monikę? – zapytałam go niewinnie, dokładając mu kolejną porcję lodów.

– Uhm – pokiwał entuzjastycznie głową – jest bardzo fajna. Pozwala mi oglądać bajki na komputerze, kiedy zamykają się z tatą w pokoju.

O, jest gorzej, niż myślałam.

– A co tata z ciocią robią w tym pokoju?

– Nie mogę ci powiedzieć. – Spojrzał na mnie znad pustej już salaterki. – To sekret – dodał już nie tak pewnym głosem, kiedy wzrok z mojej twarzy ześlizgnął mu się na pudełko lodów, które wciąż trzymałam w dłoni.

– Sekret? Bardzo lubię sekrety, prawie tak jak lody. – Wzięłam ze stołu czystą łyżeczkę i stuknęłam nią w pudełko.

Oczy Stasia zrobiły się jeszcze większe, nie spuszczał ich z mojej łyżeczki.

– No, bawią się tam. – Zaczął się łamać.

– W co? – ponagliłam go, bo z odgłosów płynących z kuchni wywnioskowałam, że lada moment skończą zmywanie.

– W mamę i tatę, tak mi powiedziała ciocia Monika. No to koniec. Już nic nie da się zrobić. Gdyby to było zwykłe bzykanko, namówiłabym Ewkę na mały skok w bok i byliby kwita, ale skoro nasza ciocia Monika zamierza zająć miejsce mojej siostry... Katastrofa. Oddałam Stasiowi resztę lodów, zasłużył na to. Wobec tego pozostało mi tylko jedno – muszę na nich zapolować i zrobić im zdjęcie, które pozbawi w sądzie tego drania praw rodzicielskich. Skoro złapałam Adonisa, to poradzę sobie i ze szwagrem.

Spacer do domu nie był zbyt miły, mały wymiotował przez całą drogę. Chyba przesadził z tymi lodami. Ewka chciała nawet wziąć taksówkę, żeby szybciej znaleźć się w domu i wpakować go do łóżka, ale żaden taksówkarz nie chciał go wpuścić do samochodu. Nic dziwnego, też bym go nie wpuściła – był zielony na twarzy.

– Kto ci pozwolił tyle zjeść? – mruczała, ciągnąc Stasia za ramię. Na szczęście był zbyt zajęty wymiotowaniem, żeby wspomnieć moje imię.

Kiedy powiedziałam o tym wieczorem Ance, roześmiała się, po czym stwierdziła: Siostrzeniec godny swej ciotki, co przypomniało mi, że następnego dnia planowałam wizytę u żony szefa. Rano miałam odebrać zdjęcia z Podgórza, a potem prosto na Salwator. Zamienić mu życie w piekło.

– O Jezu, co ty masz na sobie?!

– Zdaje się, że ostatni prezent od matki, prawdopodobnie bezcenny relikt, bo chyba wraz ze zmianą w życiu

Ewki skończyły się rytualne comiesięczne wyprawy sobotnie – wyjaśniłam, szczelniej owijając się swetrem. Wiedziałam, że najpierw powinnam wpaść do domu i się przebrać, ale skoro spotkałam Ankę na ulicy Szerokiej, nie było sensu się wracać.

– Koszmar, ale pewnie starczy nam na dwa wieczory picia w knajpie, jak już zaniesiesz to do komisu.

– Nawet na trzy. – Pokazałam jej pasek z nieodpruwalną różą, wzbudzając kolejną falę zachwytów.

Przy sąsiednim stoliku siedziała grupa młodocianych turystów, dwóch ładniutkich chłopaczków i sześć albo siedem dziewczyn, które były sześcioma albo siedmioma najbrzydszymi na świecie dziewczynami. Już samo patrzenie na nie sprawiało człowiekowi ból nie do zniesienia, a jak jeszcze dochodziła do tego fonia... Co zadziwiające, cała grupka wpatrzona była w jedną osobę – i nie był to bynajmniej jeden z milutkich chłopców, ale najbrzydsza z brzydkich dziewcząt, niejaka Naomi, Naomi z najprawdziwszym wąsem pod nosem.

– Nie mogę na to patrzeć, ona ma wąsy! – jęknęła Anka, odwracając od nich głowę.

To n a p r a w d ę były wąsy, nie żaden tam delikatny meszek czy cień układający się pod nosem. Wąsy u dwudziestolatki!

Być może to z powodu owych wąsów Naomi cieszyła się tak sporym autorytetem w swojej grupie: w skupieniu słuchali każdego jej słowa, wybuchali śmiechem, kiedy powiedziała coś zabawnego, i przerywali rozmowę z drugą osobą, gdy tylko zaczynała mówić. Kichnęła i wszyscy jak jeden mąż wyciągnęli dla niej swoje chusteczki. To było fascynujące. Nawet na moment zapomniałam o żonie Adonisa, do której zamierzałam wybrać się w poniedziałkowe południe.

– Idziesz do niej? – przypomniała mi Anka, znów zerkając na stolik obok i marszcząc z obrzydzenia nos.

– Owszem, nie przepuszczę okazji, by mu choć trochę dosrać. Zaoferuję się nawet, że mogę się zjawić w roli świadka na ich rozprawie.

Naomi wstała od stolika i podeszła do baru. Grupka odprowadziła ją tęsknym spojrzeniem. Z profilu jej wąsy wyglądały jeszcze gorzej. Nawet barman nie mógł się skupić i rozlał piwo. Kiedy wracała, odprowadzały ją spojrzenia całej sali. Zamiast skręcić do swojego, ona zatrzymała się przy naszym stoliku. Wyprężyła w uśmiechu te swoje wąsy i zapytała:

– *Excuse me, where did you buy that wonderful dress? I've never seen such a style, it's great!*

Wąsatej dziewczynie podobała się moja sukienka. Musiałam się z tym jakoś pogodzić. I jak najszybciej pozbyć się tego szkaradzieństwa! Anka uprzejmie objaśniła jej, jak dojść do ekskluzywnego sklepu z pojedynczymi egzemplarzami z najlepszych kolekcji, a kiedy wąsy dołączyły do gromadki wielbicieli, zniżyła głos i powiedziała:

– Jutro rano idziesz prosto do komisu. I tym razem zażyczysz sobie za tę kieckę potrójną stawkę, a wieczorem postawisz mi potrójne martini za to, że właśnie nakręciłam ci interes twojego życia.

ROZDZIAŁ PIĘTNASTY,
W KTÓRYM ŻONA ADONISA OKAZUJE SIĘ ZASKAKUJĄCO NORMALNĄ ISTOTĄ

Siedziałyśmy na tarasie. Dobre espresso z widokiem na Wisłę i Wawel niechybnie smakowałoby mi znacznie lepiej, gdyby ta kobieta była choć odrobinę mniej sympatyczna. Polubiłam ją od momentu, kiedy otworzyła mi drzwi, i – co gorsza – z każdą chwilą lubiłam ją coraz bardziej. Piłam kawę drobnymi łyczkami, rozpaczliwie zastanawiając się, jak mam jej to zakomunikować.

– Hm, skoro powiedziała pani przez domofon, że przychodzi w sprawie mojego męża, zakładam, że chce pani o nim porozmawiać. – Uśmiechnęła się do mnie zachęcająco, najwyraźniej czekając, aż wyłuszczę jej cel mojej niezapowiedzianej wizyty. Powiedzieć, że czułam się niezręcznie, to za mało. Czułam się k u r e w s k o niezręcznie.

– Tak, w pewnym sensie jestem tu w sprawie Ado... pani męża – wykrztusiłam wreszcie.

Podsunęła mi półmisek z winogronami i wciąż nie przestając się uśmiechać, zapytała:

– Kocha go pani?

Zdębiałam i zanim zdążyłam pomyśleć, wyrwało mi się z głębi serca:

– Ależ wręcz przeciwnie!

– Jest pani z nim w ciąży?

Byłam coraz bardziej zdezorientowana.

– W żadnym wypadku!

– Czemu więc zawdzięczam tak miłą wizytę?

Wzięłam głęboki oddech i spokojnym głosem wyjaśniłam całą sytuację. Powiedziałam, że zawsze chciałam ją poznać, bo trudno było mi wyobrazić sobie kogoś, kto żyje z Łukaszem R. pod jednym dachem. Kiedy dotarłam do scenki z ostatniego dnia mojej pracy w gazecie, wykrzyknęła:

– Ha! To pani na niego zwymiotowała! Proszę mi uwierzyć, już dawno nic nie sprawiło mi tyle radości ile jego mina, kiedy opowiadał mi o tym zdarzeniu.

I jak jej nie lubić? Ośmielona, przedstawiłam jej swój plan szkolenia się na jej mężu, tym bardziej że... Ale jak bezboleśnie powiedzieć kobiecie, że ma faceta, który nieustannie ją zdradza?

– Pewnie zastanawia się pani, jak mi powiedzieć, że Łukasz mnie zdradza, prawda? Ależ śmiało, obiecuję, że nie wpadnę w histerię. – Przeciągnęła się na fotelu i ziewnęła. – Ale może najpierw zrobię nam coś do picia.

O tak, byle z dużą ilością alkoholu! Kiedy wróciła z dwiema szklankami dżinu z tonikiem, kochałam ją już całym sercem i byłam gotowa podrzeć te zdjęcia, które przyniosłam ze sobą, ale skoro zabrnęłam już tak daleko... Wyjęłam je z torby i położyłam na stole.

– Mam tu coś, co mogłoby się przydać, gdyby pomyślała pani kiedykolwiek o rozwodzie albo czymś w tym stylu. Proszę je sobie obejrzeć. – Podsunęłam jej kopertę ze zdjęciami, a sama podeszłam do balustrady i zapaliłam papierosa. Chciałam jej dać odrobinę prywatności. W końcu niecodziennie dostaje się zdjęcia swojego męża uprawiającego seks z inną kobietą.

Potrzebowałam tego papierosa. Anka ma co prawda rację, powinnam wyrobić w sobie odruch wymiotny na sam zapach nikotyny, tak byłoby znacznie zdrowiej, ale właściwie po co? Za plecami usłyszałam cichy płacz. Kiepski ze mnie psycholog, co mam teraz zrobić? Pocieszyć ją? Powiedzieć, że nie powinna się przejmować tym zdradzieckim skurwielem, że wszystko będzie dobrze? Może po prostu poczęstuję ją papierosem? Płacz przerodził się w urywany szloch, który właściwie przypominał bardziej... zduszony chichot. Odwróciłam się gwałtownie i ujrzałam, jak żona mego eks-szefa podskakuje ze śmiechu na fotelu, jedną dłonią zakrywając usta, i bezskutecznie powstrzymuje coraz gwałtowniejszy śmiech. Z oczu płynęły jej łzy, które co chwila wycierała wierzchem drugiej dłoni. Kiedy zaczęłam się już niepokoić, wreszcie opanowała się, westchnęła głęboko i wciąż rozedrganym ze śmiechu głosem powiedziała:

– A to dobre.

Dobre? Stałam przed nią w milczeniu, zastanawiając się, co ma na myśli.

– Po prostu znakomite. Robi pani świetne zdjęcia. Dlaczego on panią wyrzucił z pracy?

Wzruszyłam ramionami, to chyba oczywiste, ale czy naprawdę muszę jej o tym mówić?

– Co za głupie pytanie! Zakładam, że nie chciała pani pójść z nim do łóżka albo skrytykowała jego dość osobliwą garderobę. Proszę tak na mnie nie patrzeć, zapewniam, że dobrze się czuję, nawet wyśmienicie, już dawno się tak nie ubawiłam.

Sama poczęstowała się moimi papierosami i zaciągając się z zakazaną przyjemnością, zapytała, co robię, odkąd pożegnałam się z pracą w gazecie. Zanim się zorientowałam, opowiedziałam jej pół mojego życia, łącznie z epizodem na Józefa, gdzie o mały włos kupiłabym lokal. Gdzieś pośrodku opowieści przeszłyśmy na ty, a Marzena zainteresowała się działalnością mojej firmy. O rozwodach mówiła z uroczym uśmiechem, wspominając wszystkie swoje koleżanki, które są właśnie tuż przed, w trakcie albo świeżo po procesie rozwodowym.

– Szczególnie miło wspominam sprawę Marty, chodziłyśmy razem do liceum i choć rozdzieliły nas studia, ona zajęła się fizyką, a ja mężczyznami, nie przerwałyśmy naszej znajomości. Męża, tego pierwszego, poznała na egzaminie na drugim roku. Był doktorem czegoś tam i miał ewidentną słabość do dziewcząt w krótkich spódniczkach. O ile pamiętam, Marta nie planowała niczego poważnego, po prostu chciała zdać egzamin, ale najwidoczniej wykazała się tak oszałamiającą wiedzą, że niespełna rok później przyjęła oświadczyny. To było typowe małżeństwo, przez pierwszych sześć miesięcy nie widzieli poza sobą świata, każdą wolną chwilę spędzali w łóżku, spijali sobie z ust słowa miłości i żyli w ogóle jak dwa niewinne gołąbki w okresie godowym. Potem, dosłownie z dnia na dzień, odkryła, że on nie opuszcza klapy od sedesu, a jemu przestał się podobać sposób, w jaki ona wyciska pastę z tubki. Tak się zaczyna każdy rozwód. Po czterech miesiącach byli już po. Drugiego męża Marta poznała w sądzie, był prawnikiem, który osobiście dopilnował, żeby mieszkanie przypadło w udziale tylko jej, podobnie jak samochód, po czym zaczął dojeżdżać nim z pracy do jej mieszkania. Tym razem trwało to dwa miesiące, cichy ślub i miesiąc miodowy na Hawajach. Wróciła stamtąd spalona na czekoladowy brąz, nieprzyzwoicie szczęśliwa i przekonana, że on jest tym jedynym. Nie był, jak się okazało cztery tygodnie później, kiedy to przyłapała go na uprawianiu seksu z panią sędziną na tylnym siedzeniu samochodu. Tym razem postarała się, żeby jej drugą sprawę rozwodową prowadziła kobieta, zresztą pierwsza żona naszego prawnika. Gość potem jako jeden z pierwszych wyjechał do Anglii i na czarno pracował na zmywaku, żeby zarobić na alimenty dla drugiej byłej żony. Marta obiecała sobie, że nigdy więcej żadnego małżeństwa, ale brat jej prawniczki był porządnym katolikiem, który nie tolerował związków na kocią łapę. Wzięli ślub kościelny. Nie tutaj oczywiście. Jako dwukrotna rozwódka Marta nie zostałaby w Polsce dopuszczona do sakramentu małżeństwa. Na szczęście, kiedy przyszło do decyzji o rozwodzie, okazało się, że tamten ślub nie był ważny. Kandydat na męża numer cztery był dziennikarzem, który namówił ją na reportaż – ona skrzywdzona przez podstępnego drania, który oszukał ją i nabrał na nieważne małżeństwo. Kiedy tekst ukazał się w jednej z popularniejszych wtedy gazet, sprawą zajął się sam rzecznik praw obywatelskich, który wygrał z dziennikarzem i zajął miejsce kolejnego męża. Marta zmieniła krąg znajomych i zaczęła obracać się w towarzystwie politycznej elity naszego kraju. Niestety, znajomość nam się urwała, ale ostatnio słyszałam, że jest po piątym rozwodzie i teraz szykuje się do kolejnego małżeństwa z którymś z ministrów. Zuch dziewczyna!

Temat rozwodu najwyraźniej nie był Marzenie obcy, dlaczego więc ani razu nie zasugerowała, że sama o tym myśli?

– Ależ to oczywiste. – Roześmiała się, kiedy ośmielona kolejnym drinkiem, zapytałam, dlaczego po prostu się nie rozwiedzie. – Pieniądze, które otrzymałabym po rozwodzie, nie starczyłyby mi na takie życie, jakie teraz prowadzę. Wyprowadzić się stąd? Zmienić znajomych? Pójść do pracy? O, nie, dziękuję bardzo, ale nie skorzystam. Sporo czasu i wysiłku zajęło mi owijanie sobie tego dupka wokół palca, zrywanie tego nie miałoby sensu. Udaję, że nie mam najmniejszego pojęcia o jego kochankach, głupocie i koszmarnym guście, co nie kosztuje mnie znowu tak wiele, a zapewnia tyle atrakcji, że wynagrodzenie wszystko rekompensuje – podniosła do góry szklankę z dżinem – z nadwyżką.

Marzena była pierwszą normalną mężatką, jaką spotkałam na swojej drodze. Przydałaby mi się w mojej firmie – Anka radziłaby kobietom, jak poradzić sobie z rozpadającym związkiem, a Marzena, jak wydymać naiwnego gościa.

– Wiesz co, muszę się nad tym zastanowić. To dość kusząca propozycja. Właściwie to myślałam o czym innym, ale czemu by tego nie połączyć? Przydałby ci się jakiś kapitał na rozkręcenie interesu, a ja chciałabym zainwestować część moich oszczędności, więc może powinnyśmy porozmawiać o spółce. Liczę się z tym, że pewnego dnia ten głąb zakocha się w jakiejś osiemnastolatce, która okaże się równie zaradna jak ja, a wtedy pozostanie mi tylko utrudnianie mu rozwodu i, rzecz jasna, własny interes. Zawsze chciałam pogodzić ideę z pieniędzmi, więc jedynym wyjściem było związanie się z tym imbecylem, ale skoro teraz mogę uświadamiać kobiety i w dodatku czerpać z tego korzyści finansowe...

Uzgodniłyśmy, że we wrześniu spotkamy się w trójkę razem z Anką i obgadamy plan działania. Wszystko zmierzało ku szczęśliwemu zakończeniu, a raczej początkowi – nowego idealnego życia. Wszak co trzy głowy, to nie jedna, a trzy kobiety – to już czysta doskonałość! Pożegnałyśmy się jak najlepsze przyjaciółki, w czym niechybnie pomógł nam dżin z tonikiem w ilościach absolutnie nieprzyzwoitych. Kiedy nieco chwiejnym krokiem zamknęłam za sobą furtkę, zobaczyłam Marzenę radośnie machającą mi w oknie na pożegnanie. Intuicja podpowiedziała mi, że jeśli jej odmacham, stracę misternie zachowywaną równowagę, a także to, że druga kobieta, która wypiła taką samą ilość alkoholu, nie obrazi się za to, że nie odwzajemnię tak serdecznego pożegnania. Założyłam, że albo ona, albo ja, albo obie zapomnimy o tym incydencie przed furtką, jak się zresztą później okazało – słusznie.

Salwator jest dzielnicą dla abstynentów. Do takiego wniosku doszłam, kiedy trzymając się kurczowo barierki, próbowałam zejść stromą uliczką do tramwaju. Boże, tyle niebezpieczeństw czyha w tym mieście na samotną kobietę! Jednak czasami przydałby się dzielny, dobrze zbudowany mężczyzna, nie zaszkodziłoby, gdyby do tego był przystojny, inteligentny, wrażliwy, czuły, delikatny, odpowiedzialny, ujmujący, uroczy, oczytany, słuchający dobrej muzyki, kochający szczeniaki i dzieci, uwielbiający zakupy, pasjonat zmywania i trzepania dywanów, doskonały kucharz, idealny ojciec, mąż, kochanek. Taki jak...

– Maniuś?

Mężczyzna siedzący przy stoliku przed maleńką pizzerią spojrzał na mnie zdumiony. Może to jednak nie Maniuś? Mogłam się pomylić, w każdym razie był bardzo podobny.

– Tak, to ja. Przepraszam, ale czy my się znamy? – po chwili wyjąkał zaskoczony.

A jednak! Wiedziałam, że to on.

– Poznaliśmy się dwa albo trzy dni temu, zależy jak na to spojrzeć, bo właściwie była to noc między trzecim a drugim dniem wstecz, to znaczy do tyłu, to znaczy... – przerwałam, sama się zgubiłam we własnych wyjaśnieniach. Kiedy to właściwie było?

Maniuś przez chwilę liczył te dwa dni wstecz, potem doszedł do trzeciego i cofnął do nocy pomiędzy nimi i... zrobił się czerwony jak burak.

– A, już pamiętam, kiedy się poznaliśmy – wymamrotał spłoszony – chociaż wtedy wyglądałaś jakoś inaczej.

– Maniuś, jesteś niezwykle szarmanckim mężczyzną. „Inaczej" to najbardziej eufemistyczne określenie, jakiego mógłbyś użyć, jestem głęboko wdzięczna. – Poklepałam go życzliwie po ramieniu. Chyba już nigdy nie zapomnę widoku własnej twarzy w lustrze i tego wrzasku, jaki usłyszałam tamtej nocy w łazience. Nie wiedziałam, że potrafię tak krzyczeć. Cóż, nigdy więcej nie położę się spać z makijażem.

Uśmiechnął się nieśmiało i podsunął mi krzesło. Z pizzerii unosił się niebiański zapach najlepszej pizzy w tym mieście. Tylko raz zdarzyło mi się zjeść coś równie dobrego, i o ile mnie pamięć nie myli, było to w rodzinnej restauracyjce w jednej z dzielnic Florencji. Pizzeria na Salwatorze miała jednak tę przewagę, że była zdecydowanie bliżej i miała niższe ceny. Florencja? Zaraz, zaraz, kiedy ja byłam we Florencji?

– Może zjesz ze mną pizzę? Sam jej nie podołam, poza tym nie powinienem tyle jeść, muszę dbać o linię. – Poklepał się znacząco po brzuchu.

– Chyba żartujesz! – Klapnęłam na krzesło. – Kto jak kto, ale ty? Taki postawny, wysoki i doskonale zbudowany mężczyzna nie musi się przejmować podobnymi drobiazgami. Maniuś pokraśniał z zadowolenia. To właśnie jest podstawowa różnica między płciami – żadna zdrowo myśląca kobieta nie nabierze się na podobny tekst, podczas gdy każdy facet, bez względu na to, czy jest hetero-, homo- czy biseksualistą, rozpłynie się z zachwytu i, co gorsza, uwierzy. Naiwniaki.

– Naprawdę tak sądzisz? To dobrze, bo odkąd zerwałem z Doboszem, straciłem wiarę w siebie. Muszę nad tym popracować.

Kim, do cholery, jest Dobosz?

– Wiesz, bardzo ci jestem wdzięczny za to, co wtedy zrobiłaś. Teraz widzę, że staczałem się powoli, zupełnie tego nie dostrzegając, i gdybyś nie wkroczyła w tamtym momencie w moje życie, nie wiem, dokąd mógłbym zajść. Boję się o tym myśleć.

Dobosz. No przecież. Tamtej nocy, kiedy dobijałam się do jego mieszkania, widziałam to imię na wizytówce. Zanim jednak zdążyłam cokolwiek powiedzieć, przy naszym stoliku pojawił się gość z wielkim kartonem.

– Duża meksykańska! To dla pana? Na miejscu, tak?

Wspaniale, w pizzerii nic się nie zmieniło od ostatniego razu. Czas omija tę maleńką knajpę, podobnie jak cywilizacja. Wciąż jada się tu palcami, prosto z kartonu, i wciąż jest to najlepsza pizza w tym mieście. Duża meksykańska zajmowała cały blat stolika. Maniuś kurtuazyjnie pozwolił mi wybrać pierwszy kawałek.

– Nie uwierzysz, ale tamtej nocy, kiedy nagle zadzwoniłaś do drzwi, pomyślałem sobie, że jesteś moim Aniołem

Stróżem. Co prawda nie tak wyobrażałem sobie swojego Anioła... Właściwie to zupełnie inaczej.

Mężczyźni. I te ich komplementy.

– To, co wtedy powiedziałaś, zapamiętam do końca życia. Te słowa wszystko zmieniły, mnie zmieniły! – Zastygł na chwilę z kawałkiem pizzy w palcach i westchnął. – Mam nadzieję, że masz teraz chwilę, bo chciałbym cię zaprosić na kawę. Mam ci tyle do opowiedzenia...

Przeżuwałam zapamiętale swój kawałek, myśląc o tym, że powinnam zabrać się do roboty, pojechać do domu po aparat i porobić trochę zdjęć, wpaść na trop szwagra, pstryknąć mu kompromitującą fotkę w objęciach cioci Moniki przykutej różowymi pluszowymi kajdankami do łóżka, poszukać nowego lokalu na biuro i podskoczyć do agencji fotograficznej. Ale przecież był poniedziałek. Natychmiast otrzeźwiałam. Nienawidzę poniedziałków. W dodatku właśnie zaczynał mi się dzisiejszy kac. Jak można pracować w poniedziałki?!

– Jasne. – Uśmiechnęłam się szeroko. – To gdzie ta kawa?

Maniuś okazał się czarującym mężczyzną. Może trochę zbyt gadatliwym, ale przecież nie ma idealnych facetów, prawda? Objedzeni pizzą, poszliśmy w stronę Rynku, łudząc się, że może znajdziemy miejsce w którymś z kawarnianych ogródków. Był poniedziałek, co przynajmniej teoretycznie gwarantowało nam chociaż jeden wolny stolik, ale nie doceniałam turystów. Zamiast zwiedzać to urocze miasto, za darmo wejść w ten jeden dzień w tygodniu na Wawel, porobić zakupy w Sukiennicach czy nakarmić te przebrzydłe ptaszyska, które z takim samym upodobaniem srają na Mickiewicza, i wszystkich przechodzących obok ludzi, obsiedli wszystkie możliwe knajpy. Jak sępy. Kiedy zrezygnowani skręciliśmy w Bracką, niemal cudem zwolnił się jeden stolik w Prowincji, to znaczy na chodniku przed Prowincją. Maniuś dziarsko ruszył w jego stronę, nie wierzyłam, że uda nam się wreszcie usiąść, tym bardziej że z naprzeciwka zbliżała się para niemieckich turystów, która była już na wyciągnięcie ręki od naszego stolika. Wtedy z pomocą przybył nam zesłany przez opatrzność gołąb. Zatoczył piękne koło nad głowami Niemców i puścił pierwszą serię, bezbłędnie trafiając do celu. Jednak dopiero druga seria powstrzymała ich przed zajęciem naszego miejsca – kiedy zatrzymali się w poszukiwaniu chusteczek, Maniuś dopadł krzesła i posłał im zwycięski uśmiech. Teraz można było w spokoju napić się kawy. Prowincję zazwyczaj omijam szerokim łukiem, mam alergię na poetów, muzyków i wszelkiej maści artystów, którzy kłębią się tu dniem i nocą, ale czasami dla jednej dobrej kawy człowiek musi się poświęcić.

– Wiesz, Ada, dopiero teraz zdałem sobie sprawę z tego, że miłość ma swoje granice. Jak pomyślę o tym dziwnym związku z Doboszem, o zazdrości, wykorzystywaniu, oszukiwaniu i zdradzie...

Co w tym dziwnego? Związek jak związek.

– ... to tracę nadzieję, że kiedykolwiek uda mi się poznać właściwego faceta. Pewnie jak już go spotkam, to okaże się, że jest hetero. – Skrzywił się z obrzydzeniem i zaczął się bawić podawanym z kawą ciasteczkiem.

Tak, albo ma narzeczoną.

– Takie życie, Maniuś. Nikt nie powiedział, że będzie łatwo, a jeśli mówił, to kłamał. Nie ma sensu łudzić się, że będzie lepiej. I tak wszystko jest do dupy. – Ja to powiedziałam? Nie, niemożliwe. To wszystko przez tę knajpę, coś tu dodają do kawy. – Poza tym, jaki ma sens związywanie się z drugim człowiekiem? Obnażasz się przed nim, pokazujesz mu swoje słabości, najwrażliwsze strony, a on tę wiedzę zawsze wykorzysta przeciwko tobie. Narażasz się na to, że będzie cię niszczył, narzucał swoją osobowość, krytykował cię i tłamsił dzień po dniu, godzina po godzinie. – Odstawiłam swoją filiżankę i nieufnie powąchałam kawę. Wypiję jeszcze jeden łyk i pewnie skończę w Wiśle. Nic z tego, więcej tu nie przyjdę.

– Ada, na tym właśnie polega miłość.

Jasne, i on się dziwi, że jest sam. Spojrzałam na witrynę antykwariatu po przeciwnej stronie ulicy i zobaczyłam w środku roześmianą parę. On otworzył przed nią drzwi, przepychali się chwilę w wąskim przejściu, wreszcie wypadli ze śmiechem na zewnątrz. Gloria cmoknęła go w policzek, José objął ją ramieniem i ruszyli w stronę Rynku. Byli tak zajęci sobą, że nawet mnie nie zauważyli.

– Piękny mężczyzna – zauważył z uznaniem Maniuś.

– Owszem, piękny – jęknęłam ponuro w odpowiedzi – ale nie rozmawiajmy o nim, dobrze?

Zmrużył jedno oko i przyjrzał mi się uważnie:

– Zakochałaś się. Na twoje szczęście w mężczyźnie heteroseksualnym, na twoje nieszczęście zakochanym w innej. Piękniejszej od ciebie. Moja droga, na moje gejowskie oko nie masz najmniejszych szans.

– Dzięki, Maniuś, ty wiesz, jak pocieszyć kobietę.

Musiał to dodawać? A żeby mu sczezło to gejowskie oko!

ROZDZIAŁ SZESNASTY
– PORWANIE!

Do domu dotarłam dopiero koło osiemnastej. Kastrat radośnie przywitał mnie przy drzwiach.

– Spadaj. Nie rozmawiam z tobą, mam depresję. – Rzuciłam w niego torbą z kocim żarciem i poszłam prosto do łazienki.

Chyba z godzinę stałam pod prysznicem, spłukując z siebie zły nastrój. Woda mnie zawsze uspokaja, może powinnam się przeprowadzić nad morze? Wynajęłabym jakąś rozpadającą się chatkę na półwyspie, założyła studio fotograficzne, mogłabym organizować warsztaty albo robić zdjęcia na weselach i chrztach. Właściwie to czemu nie? Przynajmniej nie wpadałabym co chwila na Glorię w objęciach José. A zresztą, co mi szkodzi? Przynajmniej się uodpornię. Poza tym mam interes do rozkręcenia, no i nie jestem sama. Jest Anka i Marzena, i wszystkie te kobiety, którym trzeba uświadomić, że ich świat nie kończy się na mężach. Wypadłam energicznie z łazienki, podniosłam torbę z podłogi i napełniłam kocią miskę. Cisza.

– Kastrat, obiad podano.

Zero odzewu. Czyżby znowu wyciągnął mój ser z lodówki i zeżarł całą kostkę? Nie mam pojęcia, jak on to robi,

ale już nic mnie nie zdziwi. Zajrzałam do wnęki pod sofę
– pusto. Sprawdziłam zamknięte szafy, na wszelki wypadek zerknęłam też do lodówki, mógł się w niej zatrzasnąć.
Nie było go też w łazience ani w kuble na śmieci. Przeciąg! Gdzieś było otwarte okno, mam nadzieję, że nie wybrał się znowu na spacer. Ostatnim razem, kiedy zeskoczył
na ulicę, dostałam mandat od strażnika miejskiego za „na-
rażenie zdrowia przechodniów, w tym szczególnie dzieci, na kontakt z wyjątkowo niebezpiecznym zwierzęciem"
oraz „za brak kagańca i obroży kolczatki". Na nic zdały
się tłumaczenia, że nie ma kocich kagańców. Kiedy odry-
wałam Kastrata od łydki strażnika, usłyszałam, że jeszcze
jeden taki incydent, a postara się o nakaz uśpienia zwie-
rzęcia. Brutal! Chciał uśpić mojego koteczka. Wyjrzałam
przez okno na ulicę, ale nikt nie krzyczał, psy nie uciekały
w popłochu, panowała względna cisza. Kastrat musiał być
w domu, tylko gdzie dokładnie? Okno zamknęło się z hukiem. Zaraz, skoro był przeciąg, a okna w całym mieszkaniu wychodzą na jedną stronę, to niechybnie...
– Drzwi! – Pobiegłam do wyjścia.
Oczywiście, były uchylone. Fantastycznie. Przez godzinę, którą spędziłam w łazience, każdy mógł wejść do mojego mieszkania, wykraść cały mój dobytek i przy okazji za-
dźgać mnie kuchennym nożem, co prawda najpierw mu-
siałby wywabić stąd kota... O, mój Boże! Kastrat, co oni ci
zrobili?! Chwyciłam nóż ze stołu i opatulając się szczelniej
szlafrokiem, wyjrzałam ostrożnie na korytarz. Na półpię-
trze nie było nikogo, ale z góry dochodziły jakieś dziwne
stłumione odgłosy. Zamknęłam za sobą cicho drzwi i ści-
skając w ręku nóż, zaczęłam skradać się po schodach. Nikt
nie będzie bezkarnie krzywdził mojego kotka! W półmroku,

jaki panował o tej porze na klatce naszej kamienicy, zamajaczyła jakaś postać. Najwyraźniej schylała się, zupełnie jakby siłą przytrzymywała niewinne zwierzę. Zawrzała we mnie krew. Wszystko potoczyło się błyskawicznie. Ciszę kamienicy przeszył rozpaczliwy wrzask, w mieszkaniu obok zaczął przeraźliwie wyć pies, a na drzwiach pojawiła się wielka ciemna plama. Sięgnęłam nieco drżącą ręką i wymacałam włącznik światła. Na wycieraczce przystojniaka stała megiera i patrząc na mnie, darła się jak opętana. Za jej plecami plama na drzwiach poruszyła się na mój widok, miauknęła, zeskoczyła, zostawiając za sobą ślady w drewnie po pazurach, i pomknęła w moim kierunku. Megiera wciąż krzyczała.

– Niech się pani wreszcie uspokoi! – krzyknęłam na nią.

– Co tu się dzieje? – Przystojniak wyjrzał na korytarz. Spojrzał na megierę, która wreszcie zamilkła, potem na mnie. Kiedy dostrzegł nóż kuchenny w moim ręku, drgnął przestraszony, ale kiedy ujrzał Kastrata ocierającego się o moje nogi, natychmiast zatrzasnął drzwi do mieszkania.

– Dom wariatów – rzuciłam zniesmaczona i chowając nóż do kieszeni szlafroka, zeszłam do siebie.

Kot czekał już na wycieraczce.

– Na drugi raz, kiedy będziesz chciał pobawić się z pieskiem, to zrób to tak, żebym wiedziała. Czy ty wiesz, jak się o ciebie martwiłam, zanim znalazłam cię piętro wyżej?

Kastrat nie odpowiedział. Był zajęty jedzeniem. Jak to facet, nie ma podzielnej uwagi.

Następnego dnia wybrałam najlepsze zdjęcia, których nie udało mi się jeszcze nikomu opchnąć, i złożyłam wizytę w jednej z większych w tym mieście agencji fotograficznych. Jak to zazwyczaj bywa, poprosili, bym je zostawiła na kilka dni, żeby mogli się w spokoju namyślić. *Nie dzwoń do nas, my zadzwonimy do ciebie* – to chyba motto wszystkich agencji, którego niespecjalnie przestrzegałam, a konkretnie rzecz ujmując, czyniłam wręcz odwrotnie. W tym fachu trzeba być wyjątkowo upierdliwym, lepiej, żeby aż za dobrze zapamiętali twoje nazwisko, niż mijali cię obojętnie na ulicy. Zadzwoniłam już po kwadransie, prosząc, by podjęli decyzję do jutra, bo właśnie dostałam propozycję umieszczenia zdjęć na międzynarodowej wystawie w Berlinie, a muszę je posłać kurierem najpóźniej do czwartku. Nawet uwierzyli, frajerzy.

Do siedemnastej miałam jeszcze trochę czasu, wtedy Adam wychodził z pracy, a ja zamierzałam rozpocząć kolejne polowanie. Przez tych kilka wolnych godzin planowałam zrobić to, co odkładałam już od paru dni, czyli zająć się filmami, które wypstrykałam w ciągu ostatniego tygodnia, i rozpocząć wreszcie operację uświadamiania znajomych. Za pięć dni mam urodziny, więc to odpowiedni moment na rozesłanie e-maili z przypomnieniem. Już jakiś czas temu doszłam do wniosku, że nie warto liczyć na pamięć przyjaciół, oczekiwać z drżeniem serca niespodzianek urodzinowych i przyjęć z zaskoczenia. Kilka dni przed wysyłam im e-maile, informując, że oczekuję na życzenia, i jeszcze nigdy się nie zawiodłam. Trzeba samemu o siebie zadbać. No, chyba że ma się Ankę, która dba o moje doskonałe samopoczucie.

– Dzwonię i dzwonię, a ty nie odbierasz. – Usłyszałam w telefonie jej głos, kiedy już znalazłam tę cholerną komórkę na dnie torby.

– Wybacz, ale byłam zajęta przeżywaniem upojnego uniesienia z mężczyzną moich marzeń, od którego tak brutalnie mnie oderwałaś.

– Od przeżywania, upojenia czy mężczyzny? Bo trochę się pogubiłam.

– Niestety, tylko od moich marzeń.

– Słuchaj no, malkontentko, za dni kilka masz urodziny i dzwonię, żeby ci powiedzieć, żebyś zarezerwowała sobie weekend, najlepiej z zapasowym poniedziałkiem i wtorkiem. Nie pytaj po co, bo i tak ci nie powiem.

– Nawet mi to przez myśl nie przeszło. Zgadzam się, ale pod jednym warunkiem – odbierzesz mi dzisiaj po południu zdjęcia z zakładu? Właśnie niosę film, ale nie będę mogła go odebrać. Tak przed dziewiętnastą?

– Jasne, nie ma sprawy. Czyżbyś miała randkę z tym gościem od upojnych uniesień?

– Właściwie to liczę na upojne uniesienia, niestety, nie swoje. Za dwa dni Ewka ma poważną rozmowę z Adamem, dlatego dziś nastawiam się na przyłapanie szwagra w sytuacji jednoznacznej. Dalsze losy jego małżeństwa będą zależały od tego, czy będzie miał na sobie spodnie, czy nie.

Nie bardzo jednak wiedziałam, czy wolałabym przyłapać go na obmacywankach czy też w sytuacji całkowicie niewinnej, kiedy to będzie prowadził dysputy filozoficzne z rozmówczynią w różowych kajdankach. Postanowiłam więc nie skupiać się zawczasu na analizowaniu jeszcze niezaistniałej sytuacji, tylko złapać tego drania na gorącym uczynku i wynegocjować odpowiednie warunki dla Ewki.

– Rozumiem. Życzę zatem udanego polowania i błagam, nie zapomnij, że od piątkowego wieczoru aż do co najmniej wtorku jesteś zajęta. A, i spakuj się rozsądnie, zakładam, że nic oprócz kostiumu kąpielowego nie będzie ci potrzebne, ale kto wie – rzuciła zagadkowo i rozłączyła się, zanim zdążyłam jej przypomnieć o zdjęciach. Najwyżej ich dziś nie odbierze, świat się w końcu nie zawali, to tylko zdjęcia. Mogą poczekać.

– Anka? – Nie wytrzymałam i zadzwoniłam. – Pamiętaj o odebraniu zdjęć.

– Jakich zdjęć?

– Anka!!!

– Żartowałam, pamiętam. Muszę spadać, pa!

ROZDZIAŁ SIEDEMNASTY,
CZYLI OBŁAWA

Pięć po siedemnastej wciąż stałam pod budynkiem, w którym pracował Adam. Staś twierdził, że tata spotyka się z ciocią Moniką we wtorki i czwartki, miałam nadzieję, że akurat dzisiaj nie zmienił swojego grafiku i zamiast do niej nie wybierze się na przykład na basen.

– Nie możesz mi tego zrobić – mruczałam pod nosem, opierając się o skrzynkę pocztową. – Nie dzisiaj, przecież czekam tu na ciebie.

Jakaś staruszka przechodziła obok, zerknęła na mnie zaniepokojona i przyspieszyła kroku. Wreszcie skrzypnęły przeszklone drzwi i Adam wyszedł z budynku wraz z kilkuosobową grupą. Porozmawiali chwilę i każdy poszedł w swoją stronę. Na wszelki wypadek szłam za nim po drugiej stronie ulicy, gdyby mnie dostrzegł, zawsze mogłabym udawać, że go nie zauważyłam. Poruszał się sprężystym krokiem, właściwie jakby trochę odmłodniał, widocznie romans mu służy. Przeglądał się w wystawach i co chwila poprawiał ręką włosy opadające mu na czoło. Właśnie, włosy! Od kiedy wyszedł z pracy, zastanawiałam się, czemu wygląda inaczej niż zazwyczaj, a Adam po prostu zmienił fryzurę. Nagle się zatrzymał i wyjął z kieszeni komórkę.

Numer miał wpisany do telefonu, bo nie tracił czasu na wystukiwanie cyferek, pokiwał głową, rozłączył się, spojrzał na zegarek i wszedł do sklepu. To był sex shop. Rany boskie! Mój szwagier w sex shopie! Po chwili do sklepu wbiegła Monika. Znakomicie, wspólne zakupy co, gołąbeczki? Tym razem nie mogłam przykleić nosa do szyby wystawowej, ale był lepszy sposób na zajrzenie szwagrowi do spodni. Wyjęłam z torby aparat z porządnym obiektywem, przez który mogłam dojrzeć każdą zmarszczkę na twarzy sprzedawczyni ubranej w przyciasnawy kostium do złudzenia przypominający strój bawarski, i ulokowałam się w bramie dokładnie naprzeciwko sex shopu. Przez chwilę widziałam tylko plecy Adama, który najwidoczniej chodził wzdłuż ściany z wystawionym asortymentem. Po chwili podeszła do niego Monika, położyła mu dłoń na ramieniu i nachyliła mu się do ucha. On pokiwał głową, co za potulny pantoflarz z niego swoją drogą!, i pokazał na coś konkretnego. Sprzedawczyni poszperała chwilę pod ladą i wyjęła płaskie pudełko. Kiedy je otworzyli, Adam wyciągnął ze środka coś, co z daleka wyglądało jak kawałek czarnej szmaty. Zaraz, zaraz, muszę odrobinę wyostrzyć obraz, no, prawie miałam rację – to była czarna koszulka na ramiączkach z dwoma otworami na wysokości biustu. A to zbok z tego mojego szwagra! Najpierw czerwone gacie z rozcięciem, a teraz to. Obmierzły, perwersyjny zboczeniec. Możesz zapomnieć o prawach rodzicielskich, ty draniu! Romansik romansikiem, ale z tak chorymi upodobaniami będziesz miał zakaz zbliżania się do dzieci na odległość stu metrów. Adam chyba nie był do końca zdecydowany, wyglądał, jakby się wahał, ale szybko uległ namowom Moniki. Ciekawe, jak ona to robi, może kiedyś ją o to zapytam i chociaż coś z tego wyniosę dla siebie. Płacenie, pakowanie, obwijanie zajęło im koło czterech minut. Kiedy podeszli do drzwi, aparat miałam już w torbie i intensywnie wpatrywałam się w wystawę sklepu z dewocjonaliami. Skręcili na Planty i odbili do Bunkra Sztuki. Dziwne, nie pali im się, by przymierzyć wybrakowane wdzianko? Zdecydowałam się na ławkę z jednym menelem, cuchnęło od niego okrutnie, ale przynajmniej miałam dobry widok na ich stolik. Pan menel spał, chrapał tak, że ciarki chodziły po plecach, i poruszał się przez sen. Z końca ławki zaczął niemal niezauważalnie przesuwać się na środek. Wyczułam bliższe sąsiedztwo i od tej pory nie spuszczałam go z jednego oka, drugie nieruchomo wlepiłam w parę siedzącą w ogródku blisko baru. Rozmawiali, ona mówiła zdecydowanie częściej, on ograniczał się do kiwania głową. Ze dwa razy pochylił się ku niej, dwa razy podnosiłam aparat w nadziei na piękne ujęcie pocałunku, ale za każdym razem kończyło się na tym, że zadawał jej jakieś pytanie, a ona w odpowiedzi potrząsała głową i śmiała się tak głośno, że niemal obudziła mojego towarzysza. Nie rozumiem, z jednej strony idzie na całość i umawia się z tą lafiryndą w miejscu, w którym mogą zobaczyć go znajomi, szwagierka albo własna, bądź co bądź, wciąż jeszcze żona, a z drugiej – ani razu jej nie dotknie. Cholera jasna, a może on wie, że ja tu siedzę i czatuję na jego wpadkę? A jednak! Wreszcie inicjatywę przejęła Monika. Przysiadła się o jedno krzesło bliżej Adama, położyła mu dłoń na ręku, wyszeptała coś do ucha i objęła. Wiedziałam! Podniosłam szybko aparat, gdy nagle coś chuchnęło mi prosto w twarz i poczułam, że wpadam w czarną otchłań. Kiedy się ocknęłam, tuż nad sobą ujrzałam dwoje rozbieganych oczu, zrośnięte brwi i policzki upstrzone szkarłatnymi plamami. Nad moim nosem rozwarła się paszczęka, obnażając czarne bezzębne dziąsła.

– Paniusiu, nie ma paniusia pszypadeszkiem jednego szluga odstąpić?

Leżałam na trawie obok ławki, a nade mną troskliwie pochylał się pan menel. Podskoczyłam jak oparzona.

– Panie, coś pan, zdechłego psa zeżarłeś?! Toż można skonać od tego fetoru!

Otrzepując się z gałązek i papierków porzuconych przez wstrętne bachory, nieco się zreflektowałam, nie można tak krzyczeć na drugiego człowieka. Poszperałam po kieszeniach, wyciągnęłam banknot dziesięciozłotowy i powiedziałam, żeby się napił za moje zdrowie. Pan menel w radosnych pląsach ruszył w stronę najbliższego monopolu, pewnie będę się za to smażyć w piekle, ale trudno, niech ma coś z życia. Usiadłam z powrotem na ławce, ale po moich gołąbeczkach zostały jedynie dwie filiżanki po kawie i napiwek dla barmanki. Za późno, co ja teraz zrobię? Telefon odezwał się cichym pipnięciem i zawibrował w mojej torbie. Kiedy go wydobyłam, rozładowany, skonał na mojej dłoni. Zdążyłam tylko zobaczyć gasnącą literę A. Anka! Przecież dzisiaj jest rocznica naszych znajomych, miałyśmy się umówić na wieczór. Niech to szlag! Popędziłam co tchu do domu, żeby naładować ten niewdzięczny sprzęt i oddzwonić do Anki. Jutro się zastanowię, co zrobić z moim szwagrem.

Ile czasu można spędzić na poszukiwaniu ładowarki do telefonu? Kwadrans? Ha! Godzinę? Taaak, gdzieś koło jedenastej wieczorem Kastrat dla rozrywki wpakował się do mojej torby, z której natychmiast bezlitośnie go wyrzuciłam. Razem z kotem i kocią sierścią wypadła ładowarka. Chciałam uścisnąć tego bydlaka, ale uciekł pod sofę, jak się okazało po kolejnej godzinie, razem z moją komórką. Kiedy już podłączyłam telefon do ładowarki, odkryłam, że ni w ząb nie mogę przypomnieć sobie PIN-u. Policzyłam do dziesięciu, wzięłam szybki prysznic i zrobiłam sobie makijaż na imprezę, licząc na to, że numer zwizualizuje mi się na lustrze. Bingo! Telefon ożył i zapipczał cztery razy. Miałam cztery wiadomości nagrane na automatycznej sekretarce. Pierwsze dwie były oczywiście od Anki:

— Halo? Gdzie jesteś? Siedzimy u mnie i pijemy za zdrowie Rafałka i Tomka, a ciebie nie ma. Przyjeżdżaj, bo czekamy już tylko na Agę i za godzinę spadamy na imprezę do Łubu.

— Godzina minęła, jedziemy do Łubu, jak cię tam nie będzie, chłopcy nigdy ci tego nie wybaczą, ty wstrętna homofobko!

Trzecia od Marzeny:

— Ada, wiesz co? Nie wytrzymałam dzisiaj i niewinnie zapytałam Łukasza, czy dobrze się bawił pod kopcem Kraka. Najpierw zzieleniał na twarzy, a potem dostał nerwowego kaszlu. Ha, ha, ha! Wspomniałam, że ktoś znajomy widział go na spacerze, i żeby uniknąć wszelkich niedomówień, dodałam słodkim głosem: „Ale czemu byłeś sam? Musisz mnie tam zabrać na spacer!". I ten imbecyl obiecał, że pójdziemy tam jutro, wyobrażasz sobie? — Śmiała się z półtorej minuty, po czym zapytała już na poważnie: — Nie masz ochoty pójść dziś na imprezę? Może powinnyśmy uczcić pierwszy dzień naszej przyjaźni? Zadzwoń, jakby co.

A czwarta od... Adama?

– Ada, muszę się z tobą spotkać i porozmawiać. Bardzo mi na tym zależy, więc, proszę, znajdź dla mnie w środę chwilę czasu. To ważne.

Jasne, że ważne! Ciekawe, czy ważniejsze od bluzeczki z dwiema dziurami? Najpierw odpisałam Ance, że jadę, potem Marzenie, że spotkamy się za kwadrans w Łubu, i na końcu Adamowi – jutro o osiemnastej w Bunkrze. Zostawiłam telefon w domu i poleciałam na imprezę. Myślałam o tym, żeby kupić chłopcom kwiaty, ale kiedy już wybiegłam na ulicę, zorientowałam się, że jest po północy. Trudno, zamiast kwiatów musi wystarczyć im butelka czegoś mocniejszego, na szczęście na całodobowe sklepy monopolowe nie można w tym mieście narzekać. W takich wypadkach zbyt duża torebka kobieca naprawdę się przydaje – nikt nie wpuści do lokalu mężczyzny z wypchanym plecakiem, ale przecież kobiety z torbą nie cofną. Niechby spróbowali! Wrzuciłam butelkę na samo dno torby i po chwili stałam zziajana przed Łubu. Marzeny nie było jeszcze widać, więc wypaliłam spokojnie jednego papierosa na krawężniku, opędzając się przy tym od sępów wieczornych, których momentalnie przyciąga zapach nikotyny. W końcu machnęłam ręką i weszłam do środka. Impreza trwała już w najlepsze, i to na każdym piętrze. Rekonesans zaczęłam od Kitschu, ale ani na parkiecie, ani przy barze nie zauważyłam znajomych twarzy. Pełno było za to, jak zawsze, małolatów przybierających uwodzicielskie pozy. Jakiś piętnasto-, góra szesnastolatek otarł się miękko o moje ramię i zapytał, trzepocząc rzęsami, czy postawię mu drinka.

– Nic z tego, kochany. Ani drinka, ani niczego innego. Za stara jestem na to – zbyłam go błyskawicznie i zeszłam na pierwsze piętro, do Łubu. Jeszcze mi tylko sprawy o pedofilię brakowało.

Gość siedzący przy drzwiach nie wyglądał na selekcjonera, raczej na typ intelektualisty introwertyka, ale pozory jak to pozory... wiadomo. Chłopaczka, który wchodził przede mną, zatrzymał jednym ruchem żylastej ręki, podniósł się leniwie z taboretu i sprawdził mu zawartość kieszeni.

– No, przecież butelek nie wnosi, za młody jest na to – zażartowałam zza pleców delikwenta, pocąc się na samą myśl, że ten typ zaraz zajrzy do mojej torby.

Nie raczył odpowiedzieć, tylko spojrzał na mnie tymi swoimi oczami zbitego cocker-spaniela i przepuścił, Bogu dzięki, bez ceregieli. Zaschło mi z emocji w gardle, więc najpierw odwiedziłam bar i już zaopatrzona, wyruszyłam na poszukiwanie Anki.

– Ada! Jak miło cię widzieć! Ile to już lat minęło? – Najpierw usłyszałam głos, potem poczułam obejmujące mnie ramię, pachniało zdecydowanie męsko i całkiem przyjemnie, i dopiero po chwili rozpoznałam Wojtka.

Wojtek był jedną z osób, które poznałam, polując z aparatem na ludzi na Kazimierzu. Zakochałam się w nim od pierwszego wejrzenia – to najpiękniejszy mężczyzna, jakiego w życiu widziałam. W dodatku uroczy, inteligentny i przesympatyczny, oczywiście że gej, jakżeby inaczej? Pamiętam, że poprosiłam go wtedy o jedno ujęcie, a skończyło się na całej kliszy i piwie. Był niezwykle fotogenicznym człowiekiem, spełnieniem marzeń każdego fotografa, idealnym modelem.

– Hej, słyszałem, niecnoto, o twoich wybrykach, ty to masz wyobraźnię, dziewczyno!

Chyba miałam niezbyt inteligentny wyraz twarzy, bo zaraz dodał:

– Nieczęsto się zdarza, żeby zwymiotować na szefa w momencie, kiedy jest się wyrzucanym z pracy. To było świetne!

Aaaa, oczywiście. I jak tu liczyć na dyskrecję znajomych? W ten sposób nigdy już nie znajdę stałej pracy – kto mnie zatrudni z taką przeszłością?

– Wojtuś, nie przesadzaj, po prostu drań zasłużył na to i tyle. A co u ciebie? Znalazłeś w końcu pracę?

– A, zastanawiałem się już, czy nie zostać utrzymankiem jakiegoś bogatego gościa, ale nie mogłem takiego znaleźć. – Roześmiał się. – A tak poważnie, to owszem, od jakiegoś czasu pracuję dla agencji reklamowej jako grafik, więc już lepiej być nie może. Powiem ci nawet więcej, ostatnio dali mi do twórczej obróbki zdjęcie niejakiej Adriany W., coś ci to mówi? – Spojrzał na mnie z łobuzerskim uśmiechem.

– No, tylko mi nie przesadzaj z tą twórczą obróbką, moje zdjęcia są absolutnie doskonałe i wszelka ingerencja im szkodzi.

Tym razem się nie roześmiał, jego szczęście! Pogadaliśmy jeszcze chwilę i Wojtuś obiecał mi przynajmniej jeden taniec, po czym zniknął przy barze. Krążyłam wśród zapchanych stolików, co chwila uderzając kogoś moją drogocenną torbą, ale nie mogłam nikogo znaleźć. Bardzo możliwe, że po drodze wstąpili na jedno piwo. Jak znam Ankę, to nawet prawdopodobne, więc pewnie zjawią się w Łubu za jakiś czas. Cóż, napiję się, zapalę i pośmieję z tańczących kreatur. Nie ma nic przyjemniejszego na świecie, niż pójść sobie na imprezę w roli obserwatora. Im więcej alkoholu i im bardziej zaufany człowiek w loży szyderców, tym lepsza zabawa. Nie dość, że działa relaksująco, jeszcze uspokaja i dowartościowuje. To lepsze niż prozac.

Znalazłam wolne krzesło na skraju sali do tańczenia i przygotowałam się do sesji. A jednak nie było wolne, dziewczynka, która tu wcześniej siedziała, wróciła teraz i zmierzyła mnie wyzywającym wzrokiem.

– Możesz mnie, myszko, pocałować w dupę – powiedziałam do niej w duchu i uśmiechnęłam się najbardziej obleśnym ze wszelkich uśmiechów.

Od razu uciekła. To doskonały sposób na wszystkie nielesbijki, zawsze skuteczny, chociaż raz, o ile pamiętam, nos mnie zawiódł, ale nie chcę o tym wspominać. Pewne rzeczy lepiej wyrzucić z pamięci. Tuż przed moją twarzą wymachiwała tyłkiem jakaś blondyneczka w zbyt obcisłych spodniach, których szew jakby troszkę się rozłaził tu i ówdzie. Obok pląsał tyczkowaty gość o wyjątkowo długich kończynach i wywijał nimi w nieskoordynowany sposób – nikt wokół ani na moment nie spuszczał go z oka. Sztuka uniku bywa czasami niezbędna, o czym najwidoczniej zapomniała ostrzyżona na jeża przyjaciółka blondyneczki, gdyż właśnie trzymając się za głowę jedną ręką, drugą wygrażała bezgłośnie pod adresem chłopaka. Tańcząca obok nich kilkuosobowa grupka była zbyt zajęta obgadywaniem obściskującej się pary, żeby zauważyć... O cholera, Gloria.

Pewnie gdzieś tu jest i José. Ja to mam szczęście. Postanowiłam szybko ulotnić się z Łubu i poczekać na Ankę w Kitschu, ale gdy zerwałam się gwałtownie z krzesła, usłyszałam brzdęk i poczułam, jak moja torba napełnia się wysokoprocentowym płynem. Lepiej być już nie mogło! Teraz będzie śmierdziało od mnie wódą na kilometr. Poleciałam do łazienki i nie bacząc na wrzaski oburzonych dziewczyn stojących w kolejce, wpakowałam się do środka. Wyrzuciłam kawałki szkła i mokrymi od wódki chusteczkami próbowałam osuszyć mokrą od wódki torbę.

– Poczekaj chwilę. – Usłyszałam za plecami czyjś głos i po chwili trzaśnięcie drzwiami.

Zza ściany, z męskiej toalety, dobiegł głośny wrzask, sekundę później podobny odgłos wydała kolejka czekająca do damskiej i skrzypnęły drzwi. Spojrzałam w lustro i zobaczyłam stojącą w progu Marzenę z naręczem papierowych ręczników.

– Widziałaś kiedyś faceta, który po wyjściu z łazienki myje ręce? – zapytała na widok mojej zdumionej miny.

– No właśnie. Wycieraj lepiej tę swoją torbę, bo obie przesiąkniemy tym smrodem.

Zanim wyszłyśmy z łazienki, ja z torbą wypełnioną zielonymi ręcznikami, Marzena opowiedziała mi w detalach wcześniejszą rozmowę z Adonisem, znaczy Łukaszem – chyba muszę zacząć się pilnować.

– Nawet nie wiesz, jak mnie korciło, żeby powiedzieć mu prawdę, pokazać zdjęcia, och, nie mogłam się powstrzymać, ale – dodała, uprzedzając moje pytanie – oczywiście nic nie powiedziałam. To by było nieprofesjonalne i nietaktyczne.

W podzięce za uratowanie mojej torby zaproponowałam jej drinka i zanurkowałam pod łokciami okupujących bar. Szukałam prześwitu jak najbliżej lady, wreszcie go znalazłam i wyłoniłam się z tłumu tuż obok ramienia... José, który właśnie odbierał dwa piwa. Gdyby tylko odwrócił się w drugą stronę i przedarł się tamtędy do wyjścia, mogłabym uniknąć idiotycznego przywitania i gadki o niczym, no i wskoczyć na jego miejsce przy ladzie. Stałam nieruchomo, nie oddychając ze strachu, że mnie usłyszy. To zupełnie bez sensu, z jednej strony oddałabym wszystko, żeby mnie zauważył, ucieszył się na mój widok, zostawił te cholerne piwa i przytulił mnie do siebie, no, nie okłamujmy się, nie tylko przytulił, i żebyśmy razem odeszli w stronę zachodzącego, a zważywszy na porę, raczej wschodzącego słońca. Niestety, zawsze istnieje druga strona, bo oto teraz stoję obok niego i modlę się, żeby nie odwrócił głowy w moim kierunku, proszę, to nie tak znów wiele.

— Ada, coś ostatnio często się spotykamy.

Czy ja usłyszałam szyderstwo w jego głosie, jakby kąśliwość, coś na kształt ironii? Uśmiechnęłam się z wysiłkiem i powiedziałam coś o przypadku, to znaczy o przeznaczeniu, w każdym razie o jednym albo drugim.

— Jesteś zadowolona ze zdjęć? — zapytał chłodno, zupełnie nie słuchając mojego bełkotu. — Tych spod kopca?

— Tak, nawet bardzo — odparłam powoli, zastanawiając się, do czego zmierza. Był dziwny, obcy.

— Świetnie, a teraz wybacz, czekają na mnie znajomi. — I zniknął w tłumie.

Hm, coś mi się nie zgadzało. José się tak zazwyczaj nie zachowuje. Gdzie się podział ten miły, przeuroczy mężczyzna, który pomagał mi układać książki, trzymał moją dłoń w swojej, częstował mnie kawą i o mały włos mnie nie...

— Zamawiasz coś czy nie, kotku? — Znudzony barman wydmuchał balon z różowej gumy do żucia.

Wzięłam dwa brooklyny i dołączyłam do Marzeny. Wzniosłyśmy toast za upośledzony gatunek ludzki, życząc mu z serca jak najszybszego dorównania kobietom.

Mało prawdopodobne, ale dla naszego własnego dobra bardzo praktyczne życzenie. Chwilę później poszłyśmy do Kitschu, gdzie akurat puścili Madonnę, i Marzena pociągnęła mnie za sobą na parkiet, rozpychając się energicznie w tłumie. Gdzieś po drodze mignęła mi twarz Wojtka, ale zanim zdążyłam mu pomachać, znalazłam się pod samym podium. Bez przesady, nigdy tam nie wejdę, myślałam, kiedy uczynne ręce chłopców najzwyczajniej w świecie podniosły mnie do góry i wwindowały na podium, gdzie już radośnie podskakiwała Marzena.

– Łap za rurę! – zawołała, próbując przekrzyczeć muzykę.

Upadłam tak nisko, że już niżej się nie da.

I odkryłam, że świetnie się bawię. Tej nocy poznałam tę część siebie, o której istnieniu nie miałam pojęcia.

Po Madonnie poleciał boski George, mój ulubiony zestaw, niestety, tak się składa, że nie tylko mój. Zrobiło się ciasno, zakręciło mi się w głowie i poczułam, że jak zaraz nie zejdę z parkietu, to zemdleję, a że w klubie gejowskim nie ma co liczyć na postawnego rycerza, który wyniósłby mnie w swych męskich objęciach, zdecydowałam wyjść sama. Znalazłyśmy wolny stolik w jednej z bocznych sal.

– Ten boski gość, z którym rozmawiałaś przy barze, to José?

– Tak, właśnie ten – mruknęłam pod nosem.

– Hej, jeszcze kilka godzin temu wykazywałaś więcej entuzjazmu, gdy o nim wspominałaś!

– To prawda, tak było, zanim wylał na mnie kubeł lodowatej kąśliwości. Nawet nie wiem za co.

– Nic dziwnego, oni są nieobliczalni i nieracjonalni, poza tym zazwyczaj kierują się niskimi pobudkami.

Wystarczy urazić ich męskie *ego* albo, co gorsza, podważyć wiarę w siebie. I koniec.

Jeśli nie zmienimy tematu, upiję się dziś na smutno i skończę z głową na stoliku albo pod, albo wypłakując się na ramieniu jakiegoś geja, albo opowiadając pół swojego życia barmanowi. Na pomoc!

– I jak się bawicie, dziewczyny?

O, ktoś mnie wysłuchał, cudownie!

Podniosłam głowę i zobaczyłam przed sobą znajomą twarz, tylko za nic nie mogłam przypomnieć sobie imienia. Paweł? Nie. Piotr? Też nie. To przecież znajomy José, ten, którego poznałam tamtej nocy w Łubu, kiedy jeszcze normalnie rozmawialiśmy, kiedy José trzymał mnie za rękę, kiedy...

– Wspaniale, przystojniaku, a ty? – zaćwierkał słodki głos Marzeny.

Marzeny?! Spojrzałam na nią ze zdumieniem. Tak, to była ona. Widziałam, jak poruszają jej się wargi, kiedy z nim rozmawiała, ale te słowa? Ten ton? Zaprosiła go do naszego stolika, przedstawiła się i pytając go, czego się napije, oparła – widziałam! – dłoń na jego udzie.

– Ada, nie skoczyłabyś znowu do baru? Tak dobrze ci poszło ostatnim razem. – Mrugnęła do mnie, uśmiechając się jednocześnie do chłopaka.

To była przyjacielska forma przekazu „Spadaj!". Przypomniałam sobie, że zabrakło mi fajek, więc oznajmiłam głośno, że najpierw skoczę do sklepu po drugiej stronie ulicy, a dopiero potem... Ale i tak nie zwracali już na mnie uwagi. Przepchnęłam się przez podpierających ściany gości ubranych w białe koszulki polo i czarne spodnie ze zwężanymi nogawkami. Ci w porozpinanych obcisłych koszulach i portkach tak wąskich, że chyba musieli wciągać je na leżąco, ledwo trzymających się na chudziutkich biodrach, królowali na parkiecie. Zresztą nie tylko oni. Na lewo od podium bawiła się Gloria z José i kilkoma znajomymi. Była najpiękniejszą dziewczyną na tej imprezie, co oprócz mnie dostrzegali niewątpliwie wszyscy heteroseksualni faceci, którzy udawali, że znakomicie się bawią, podczas gdy każdy z nich starał się dostać jak najbliżej Glorii. To było nawet zabawne, przynajmniej dopóki nie uświadomiłam sobie, że nikt nigdy nie reagował tak na mnie. Gdybym była na jej miejscu, to pewnie rzuciłabym się w objęcia wszystkich po kolei – towar, którego nie można dotknąć, może być wszak trefny, czyż nie? – a na końcu wyszłabym z tym, który najlepiej by się zapowiadał. Hm, gdybym była na jej miejscu, to miałabym José, więc do czego właściwie byliby mi potrzebni inni mężczyźni? Ona o tym doskonale wie, to widać ze sposobu, w jaki na niego patrzy. Nawet nie zwraca uwagi na tego boskiego przystojniaka, który od kwadransa próbuje z nią zatańczyć, dla niej jest tylko José. No właśnie – dla niej, nie dla mnie. Tamtej nocy wreszcie pojęłam znaczenie solidarności jajników i tak naprawdę po raz pierwszy zrozumiałam, co znaczy szanować drugą kobietę. To, co Anka wpajała mi od dłuższego czasu, przyszło nagle jak objawienie – obiecałam sobie, że nie zrobię niczego, co mogłoby ją zranić, tym bardziej dla faceta. Nawet takiego jak José. Teraz to już naprawdę musiałam zapalić, o napiciu się już nie wspominając. Ruszyłam w stronę drzwi i niechcący nadepnęłam na czyjąś stopę. Usłyszałam wrzask. To wrzeszczał boski przystojniak, który najwidoczniej odkleił się od Glorii i któremu właśnie, naprawdę przez przypadek!, zmiażdżyłam nogę. Kilka osób spojrzało w naszą stronę. Zanim zdążyłam się stamtąd zmyć, zobaczyłam machającą do mnie Glorię. No to wpadłam. Po sekundzie ruszyła w moim kierunku, a wraz z nią grupka jej znajomych i oczywiście José. Ech...

– Ada! Jak się masz? Dawno cię nie widziałam. Co u ciebie? Znalazłaś lokal na swoje biuro? – Zbombardowała mnie pytaniami, ale zrobiła to z tak serdecznym zainteresowaniem, że z miejsca się do niej przekonałam. Na pewno bym ją polubiła, gdyby nie... Cholera, miałam już o tym nie wspominać.

Staliśmy w przejściu, więc żeby uniknąć przepychanek w wąskim korytarzu, przenieśliśmy się całą grupą do baru. Przy ladzie stały trzy dziwne postacie, które ożywiły się na widok Glorii, ale kiedy zza jej pleców dostrzegły i mnie, od razu zrzedły im miny. Wtedy odblokowała mi się pamięć i trzy twarze wypłynęły z głębin mej świadomości, a przynajmniej tego jej obszaru, który tak miłosiernie dotąd omijałam szerokim łukiem. Przede mną stały bowiem trzy Hinduski, jak widzę, dobre znajome Glorii i José.

– Może papierosa? – Ze złośliwym uśmiechem wyciągnęłam w ich stronę paczkę cienkich mentoli. Nie znoszę tych fajek, jak w ogóle można palić papierosy mentolowe?! Ohyda.

Wszystkie trzy smętnie zwiesiły głowy i pokręciły nimi przecząco.

– To wy się znacie? – zapytała zaskoczona Gloria.

Hinduski spojrzały na mnie wyczekująco.

– Nie – odparłam po chwili – jeszcze się nie znamy.

Tym razem posłały mi uśmiech pełen wdzięczności i z odrobiną rezerwy wyciągnęły papierosy. Własne. Dziwnym trafem zaczęliśmy rozmawiać o turystach w Krakowie, hałasie, niekończących się pielgrzymkach, które blokowały wąskie uliczki miasta, i pijanych brytolach, gorszych nawet niż, jak to zgrabnie ujęła Gloria, miejscowe gołębie.

– A to mi coś przypomina – zwróciła się nagle do José.

– Pamiętasz, jak mówiłam ci o moich przyjaciołach ze szkoły średniej? Wczoraj spotkałam ich całkiem przypadkiem nad Wisłą! Okazało się, że przyjechali tu na wakacje, żeby napić się porządnego piwa i podrywać polskie dziewczyny. I pierwszego wieczoru, kiedy wstawili się w hotelowej knajpie, po czym ruszyli na miasto, spotkali dwie piękne kobiety. Postanowili jakoś zagaić rozmowę i zapytali się grzecznie o drogę na Rynek, a że już trochę im szumiało w głowie, to z tego wszystkiego zapytali się nie po angielsku, ale po hiszpańsku.

Coś mi jakby zaczęło świtać. Co prawda pewne detale się nie zgadzały, ale...

– I ku ich wielkiemu zdziwieniu nie dość, że odpowiedziały im bezbłędnie w ich języku, to jeszcze podobno opieprzyły za zawracanie głowy.

Zawracanie głowy? Ciekawa metafora. Przynajmniej jedno się zgadzało – ta wzmianka o pięknych kobietach.

– Tak się tym przejęli, że stracili cały animusz i teraz snują się biedaki cały dzień po Wawelu. – Zachichotała złośliwie.

Wszyscy się roześmieli, nawet ja, z lubością wyobrażając sobie tych barbarzyńców, którzy ze strachu nie odzywają się tu głośniej w swoim języku. Poczekajcie tylko, aż się spotkamy w Hiszpanii, tam to dopiero się wam dostanie, pomyślałam mściwie.

Gloria zaczęła opowiadać kolejną anegdotkę, co chyba nie odpowiadało zbyt José, bo z zasępioną miną wpatrywał się w regały zastawione alkoholem. Oho, czyżby hrabia był niezadowolony z tego, że świetnie się bawię z jego narzeczoną? Pewnie wolałby, żebyśmy się nigdy nie spotkały. Cóż, za późno na to, zresztą już w ogóle jest za późno. Grupka zaczęła się stopniowo rozsypywać, do czego chyba przyczyniła się urażona mina José, a ja zdecydowałam, że jeden papieros na zewnątrz, potem brooklyn i, jeśli Anka się nie zjawi w ciągu kwadransa, zmywam się do domu. Coś za dużo wrażeń jak na jeden wieczór. Na schodach, w stanie niewątpliwie wskazującym na nadużycie, poniewierały się jakieś szczątki męskie, które ominęłam szerokim łukiem. Zanim usiadłam na krawężniku, przyjrzałam mu się bardzo uważnie.

– Może jeszcze przetestujesz organoleptycznie? – Usłyszałam za plecami ironiczny głos. Jego głos.

I pomyśleć, że jeszcze godzinę temu oddałabym wszystko za to, żeby to jego przetestować organoleptycznie. I to nieraz.

– Jak już mam usiąść na gumie do żucia, to wolę to zrobić świadomie. – Przesunęłam się kawałek, robiąc mu miejsce. – Chcesz fajkę?

– Jak ty możesz palić to śmierdzące świństwo?

Następny. A w zupełności wystarczyłoby przecież: Nie, dziękuję, nie palę.

– Trochę tam gorąco, wyszedłem się przewietrzyć.

Nic dziwnego, że mu gorąco, z taką dziewczyną? O czymś jednak musimy rozmawiać, no dalej, wymyśl jakiś temat.

– A jak tam wasze plany z knajpą na Kazimierzu? – Bogu dzięki, coś mi jednak przyszło do głowy.

Spojrzał na mnie uważnie. Jakoś zbyt uważnie. O co mu chodziło?

– Już prawie kończymy, otwieramy pewnie za tydzień – powiedział po chwili. – Oczywiście, pierwszy wieczór tylko dla znajomych, więc mam nadzieję, że przyjdziesz.

Czekałam, aż doda: „z osobą towarzyszącą", ale coś mu się nie spieszyło. Cisza nagle zrobiła się nieprzyjemna, już miałam zapytać go, gdzie wreszcie zdecydowali się otworzyć swoją knajpę, kiedy zadzwonił jego telefon.

– Tak? O, cześć. Nie, nie przeszkadzasz. – Zerknął na mnie kątem oka. – Właściwie to szkoda, że cię tu nie ma, bo chciałem ci kogoś przedstawić, ale trudno, następnym razem. Uhm, jasne, świetny pomysł. Kiedy? W piątek? A, OK, nie zdradzę się, obiecuję.

Podsłuchiwanie cudzych rozmów telefonicznych nigdy nie było moją pasją życiową, na szczęście z opresji wyratował mnie Wojtuś, lądując znienacka na moich plecach.

– Ha! Wiedziałem, że cię tu znajdę. Idziemy tańczyć, jazda na górę! – Pociągnął mnie za rękę i zostawiłam José sam na sam z komórką. Teraz to już i tak nieważne.

Na parkiecie znalazła nas Marzena, której chłopiec zmył się do domu razem ze znajomymi, co jednak nie popsuło jej nastroju – z uśmiechem myśliwego pomachała mi przed nosem karteczką z numerem telefonu Roberta. Bingo! Nazywa się Robert! Jakieś dziesięć minut później zjawiła się Anka z naszą starą znajomą Agą, której nie widziałam od paru ładnych miesięcy, i chłopakami. Nie mogłam się zdecydować, czy to Anka podtrzymywała ich czy też oni ją... W każdym razie wyglądali na nieźle wstawionych.

– Nie uwierzysz, kogo właśnie widziałam – rzuciła mi na powitanie. – Wąsy w zielonej kiecce!

W tej samej chwili dostrzegłam na podium trzy najbrzydsze na świecie dziewczyny podskakujące wokół wybitnie paskudnej, z wąsami, ubranej, jakżeby inaczej, w moją zjadliwie zieloną sukienkę, którą za radą Anki zostawiłam rano w komisie. Parsknęłam śmiechem, zarażając nim przy okazji niczego nieświadomych Marzenę i Wojtka. Rafał z Tomkiem byli wtajemniczeni, bo chichotali już od pierwszej wzmianki o wąsach, ale Aga miała tak śmiertelnie poważną minę, że szybko zrezygnowaliśmy z kontynuowania tematu. Anka lekko się zachwiała.

– Ada, coś mi mówi, że niebawem – mamrotała niewyraźnie, opierając się na moim ramieniu – poznam miłość mojego życia, hep – pojawiła się i pijacka czkawka, czyli ostatni etap u Anki przed – jestem tego, hep, prawie pewna, hep – zaśnięciem.

Nie tak znowu często zdarza się mojej przyjaciółce zasnąć na imprezie z głową na moim ramieniu. Na stojąco. Rafałek z Tomkiem okazali się jednak bardziej trzeźwi – pomogli mi wpakować ją do taksówki. Miłość twojego życia, myślałam, odwożąc ją do domu, mam tylko nadzieję, że to nie będzie mój kot. Bo wtedy zostanę całkiem sama.

ROZDZIAŁ OSIEMNASTY,
W KTÓRYM ODNAJDUJE SIĘ PEWIEN ZAGUBIONY KATALOG

Zawsze wyłączaj na noc komórkę, mówiłam do siebie na głos o dziewiątej trzynaście następnego ranka, leżąc w łóżku, wpatrując się tępo w sufit i udając, że nie słyszę wściekle dzwoniącego telefonu. Wpakowałam go nawet pod poduszkę, ale to niewiele dało. Nie mogę go tak po prostu wyłączyć, bo wtedy urażę uczucia osoby, która do mnie dzwoni. A jeśli to nie osoba, ale na przykład telemarketer? Albo, co gorsza, znowu to babsko z towarzystwa ubezpieczeniowego, które mnie prześladuje od dwóch dni? Numer na wyświetlaczu nic mi nie mówił.

– Halo?

– Witam, dzwonię z agencji fotograficznej. Czy moglibyśmy się umówić na dziś na spotkanie? Tak koło jedenastej?

Od razu wyskoczyłam z łóżka. Byłam obudzona i pobudzona, gotowa nawet lecieć tam od razu i bić pokłony od samego progu. Chcą się ze mną spotkać! Największa agencja fotograficzna chce moje zdjęcia! Ale, ale, s p o-
k o j n i e.

– Chwileczkę, niech spojrzę w grafik. – Zaszeleściłam gazetą. – Niestety, mam inne spotkanie o tej porze, ale wygląda na to, że niedaleko. Mogę być u państwa najwcześniej o jedenastej trzydzieści. – Trzeba się szanować.

Wspaniale, zatem miałam niecałe dwie godziny na spokojną poranną kawę i dobranie odpowiedniej garderoby. Postanowiłam jeszcze chwilę poleżeć i porozkoszować się wizją mej rozpędzającej się kariery. Kiedy poczułam na sobie ciężar Kastrata, który bezceremonialnie zaczął układać się do snu na moim brzuchu, przeciągnęłam się i spojrzałam na zegarek. Była jedenasta zero trzy. Co takiego?! Jedenasta zero cztery! Zaspałam, krzyknęłam rozpaczliwie, zrzucając z siebie kota, i popędziłam do łazienki. Po drodze chwyciłam dżinsy i pierwszą z brzegu czystą koszulę. Oczywiście, nie wypiłam nawet łyka kawy. Boże, do jakich poświęceń jest czasami zdolny człowiek...

– I co dalej? Trafiłaś w końcu do tej agencji czy nie? Streszczaj się, bo zaraz mam zebranie z Adonisem – przerwała mi Anka, kiedy przez telefon starałam się oddać dramaturgię porannych wydarzeń.

– Trafiłam, zdążyłam, wzięli kilka zdjęć i chcą więcej. Zaproponowali dobre warunki. – W telegraficznym skrócie przedstawiłam dwie najpiękniejsze godziny w moim życiu.

– Świetnie, gratulacje! Ale chyba zdajesz sobie sprawę z tego, że tych kilka zdjęć nie ustabilizuje finansowo twojego życia? Czas się wziąć do czegoś poważnego, dziewczyno.

Nie ma to jak liczyć na wsparcie przyjaciół, zawsze ucieszą się z twojego sukcesu, a twoja radość będzie dla nich tak ważna, że będą starali się ją podsycać zawsze i wszędzie.

– OK, Adonis się nam objawił, muszę spadać. Pogadamy o tym jutro albo lepiej po powrocie z twoich urodzin. A ty pozdrów Ewkę. – I się rozłączyła.

Nawet nie zdążyłam jej powiedzieć, że z siostrą się raczej teraz nie zobaczę, w ostatniej chwili namówiłam ją, żeby się odświeżyła przed spotkaniem z Adamem.

– Mam niby wziąć prysznic? – zatrzepotała w zdumieniu rzęsami.

– Kobieto, zrób coś ze sobą wreszcie! Idź do kosmetyczki, do solarium, zrób sobie paznokcie, włosy, cokolwiek. To mam na myśli, kiedy mówię: o d ś w i e ż s i ę.

– A – odparła tylko i więcej nie wracałyśmy do tematu.

Ale rano dostałam od niej SMS-a z pytaniem, czy posiedzę przez dwie godziny ze Stasiem, bo ona musi się odświeżyć, a mały dostał jakiejś dziwnej wysypki i wolałaby nie zostawiać go samego ani tym bardziej zabierać ze sobą. Jak jej się udało zmieścić tyle informacji w jednym SMS-ie? Nie mam pojęcia, jak ona to robi.

Punktualnie o czternastej, Boże, jak byłam z siebie dumna!, zadzwoniłam do jej drzwi. Odpowiedziała mi cisza. Może jednak pomyliłam godziny, pomyślałam spanikowana, ale kiedy przyłożyłam ucho do framugi, usłyszałam ciche plaskanie bosych stóp o podłogę.

– Stasiu, czy to ty stoisz za drzwiami?

– Tak – odparł ze środka mały.

– No to mi je otwórz albo zawołaj mamę.

– Mama przed chwilą wyszła i powiedziała, że mam czekać na ciocię Adę, która jak zawsze się spóźnia.

– Nieprawda! Wcale się nie spóźniłam! Nieważne, teraz tu jestem, więc otwórz mi drzwi.

– Nie mogę, jestem sam w domu.

— Stasiu — jęknęłam z czarnej rozpaczy. — Przecież mama ci powiedziała, że masz otworzyć drzwi cioci Adzie, tak?

— Tak.

— Przecież ja jestem ciocią Adą!

— A skąd niby mam to wiedzieć? — zapytał rezolutny głosik siedmiolatka.

To jakiś koszmar.

— Kochanie, znasz głos cioci Ady i właśnie w tej chwili go słyszysz, co oznacza, że ja jestem twoją ciotką, prawda? — Starałam się zachować spokój, żeby go przypadkiem nie wystraszyć.

Poczekaj tylko, jak wejdę do środka, wstrętny szczeniaku!

— Ale możesz tylko udawać ciocię Adę, a ja nie mogę wpuścić kogoś, kto ją udaje.

— Dobrze, więc idź teraz do kuchni po taboret. Przynieś go tu i postaw pod drzwiami. Potem wejdź na niego i wyjrzyj przez judasz, w ten sposób będziesz mógł się przekonać, że ja jestem twoją ciotką, której masz otworzyć...

Te cholerne drzwi!!!, wywrzeszczałam już w duchu. Minęła okropnie długa minuta. Wreszcie usłyszałam dobiegające ze środka sapanie i szuranie taboretu po podłodze.

— Stasiu, patrzysz teraz przez judasz? Widzisz mnie?

— Tak.

— To otwórz drzwi.

— Ale ty wcale nie jesteś podobna do cioci Ady.

Zaraz eksploduję! Co mam zrobić? Wyjęłam komórkę i wybrałam telefon Ewki. Gdyby po prostu zadzwoniła na swój numer domowy i kazała temu potworowi otworzyć drzwi, ten koszmar by się wreszcie skończył. Nic z tego, nie odbiera. Muszę sobie poradzić sama.

– Stasiu, jesteś tam jeszcze?

– Uhm.

– Przypomniało mi się, że mam w torbie lody i niebawem mi się całkiem rozpuszczą, a jakbyś mi otworzył, moglibyśmy je razem zjeść.

– A jaki masz smak? – zapytał konkretnie.

Przypomnij sobie, jakie lody on lubi bardziej, od tego zależy, ile tu jeszcze będziesz stała!

– Yyy, czekoladowo-truskawkowe.

Szczęknął zamek w drzwiach, Staś otworzył je szeroko, uśmiechnął się i powiedział:

– To ty możesz zjeść truskawkowe, ja wolę czekoladowe.

Weszłam energicznie do środka, odsuwając na bok taboret. Musiałam najpierw policzyć do dwudziestu, zanim odezwałam się do małego. Poszedł za mną do kuchni i usiadł przy stole.

– Ciociu, a gdzie masz lody?

Teraz to „ciociu", tak?

– Nie mam.

– Ale przecież mówiłaś, że...

– Kłamałam.

– Ale nie wolno kłamać! Wszystko powiem mamie!

– Drzwi też nie wolno nikomu otwierać, kiedy jest się samemu w domu! Ja też wszystko powiem mamie!

Staś popatrzył chwilę w okno, chyba coś kalkulował w tej swojej małej główce, bo wreszcie odezwał się pojednawczym tonem:

– To umówmy się, że ja nic nie powiem o kłamaniu, a ty o drzwiach, dobrze?

No proszę, negocjator nam rośnie na łonie rodziny.

Zgodziłam się i łaskawie obiecałam wziąć go na lody, kiedy już zejdzie mu ta wysypka i będzie mógł wychodzić z domu. Zabraliśmy się do rysowania samochodów – on szkicował, a ja malowałam świecówkami. Była to dość niewinna zabawa, przynajmniej do momentu, w którym Staś nie dał mi do kolorowania rysunku... wibratora. Widząc zdumienie na mojej twarzy, siostrzeniec pełnym politowania nad moją niewiedzą głosem wytłumaczył, że jest to rakieta kosmiczna, którą wylatuje się w kosmos. Cóż, niewiele się właściwie pomylił, ale o tym to mu chyba powiem dopiero za jakieś piętnaście lat.

– Wiesz, ciociu, kiedyś znalazłem w domu taką fajną gazetę z zabawkami z jakiegoś sklepu, taką jak gazetki z supermarketów, ale dużo, dużo większą. I tam jest tyle niezwykłych rzeczy! Kupisz mi którąś pod choinkę? – I nie czekając na moją odpowiedź, pobiegł do swojego pokoju.

Po chwili wrócił, trzymając w wyciągniętej dłoni pomięty i poplamiony... katalog z zabawkami z sex shopu! Czy w tym domu naprawdę wszyscy powariowali?

– Bardzo fajny katalog – odparłam ostrożnie. – A skąd go masz?

Rozejrzał się wkoło i zniżył głos, jakby się bał, że ktoś nas podsłucha.

– Kilka dni temu, kiedy już spałem, zachciało mi się pić. Poszedłem do kuchni i na stole zobaczyłem dużą książkę. Myślałem, że to bajki, ale więcej było literek niż obrazków, a obrazki i tak były nudne. Pod książką leżały czyjeś majtki, takie dziwne – skrzywił z obrzydzeniem nos – a pod tym wszystkim ten fajny katalog. Pomyślałem sobie, że to pewnie Święty Mikołaj wpadł do nas przed święta-

mi, no i zabrałem sobie to, co mi się podobało. I miałem
rację, bo kiedy rano wszedłem do kuchni, na stole już niczego nie było.

– A mówiłeś o tym mamie?

– No coś ty, ciociu! Przecież jeśli ona nic nie dostała od
Mikołaja, to byłoby jej przykro, gdybym powiedział o swoim prezencie.

No proszę, Ewka jakoś zapomniała wspomnieć o tym
katalogu. Ciekawe dlaczego? Moja siostra ma przede mną
za dużo tajemnic.

– Wiesz co, Stasiu, wydaje mi się, że Mikołaj mógł zostawić więcej rzeczy, ale pochował je w szafkach, tych po-
wieszonych wysoko, żebyś nie mógł sam znaleźć prezen-
tów. Co powiesz na to, żebyśmy ich teraz poszukali? Ja
będę tam zaglądać i mówić ci, co widzę.

Mój cudowny siostrzeniec z zapałem zabrał się do roboty. Ja też.

Nie musiałam długo szukać, w sypialni, w komodzie
Ewki, pod warstwą bielizny znalazłam poradnik *Jak uroz-
maicić twoje życie seksualne, czyli porady dla znudzonych
kochanków*. Miał pozaginane strony, a na kilku znalazłam
podkreślone ołówkiem fragmenty, na widok których zaczerwieniłam się jak pensjonarka. Zamknęłam z hukiem
książkę.

– Miałeś rację, Stasiu, strasznie to nudne.

Gdzieś koło szesnastej odezwała się Ewka.

– Właśnie zobaczyłam, że mam nieodebrane połączenie. Dzwoniłaś do mnie. Wszystko w porządku? – wyrzuciła z siebie na jednym wydechu, jakby chciała coś przede
mną ukryć. Próżne nadzieje, i tak się dowiem.

– Jasne, w idealnym. – Mam nadzieję, że nie usłyszała sarkazmu w moim głosie.

– Świetnie, ja już wracam do domu, więc jeśli masz ochotę, to zamówimy sobie pizzę na obiad.

– Chciałabym, ale nie mogę, jestem umówiona na osiemnastą, a muszę jeszcze na chwilę wpaść do siebie, więc będę się już zwijać. Staś zamknie za mną drzwi, OK? Masz przy sobie klucz? – zapytałam niewinnie.

Miała. Kazałam jej jeszcze zadzwonić przed jutrzejszym spotkaniem z Adamem, ale nie wspomniałam ani słowem o tym, że najpierw ja planuję z nim porozmawiać.

W Bunkrze zjawiłam się kilka minut przed czasem. Chciałam zająć dokładnie ten sam stolik, przy którym ostatnio siedział Adam ze swoją panną. Zwolnił się w tym samym momencie, w którym zamawiałam kawę. Idealnie. Teraz pozostawało mi tylko czekanie na szwagruńcia. Zastanawiałam się, jak będzie wyglądała ta rozmowa, czy usłyszę od niego, że się zakochał i jest gotowy zostawić Ewkę z dzieciakami, czy też że ma przelotny romans i kiedy opadnie mu poziom testosteronu, wróci potulny do żony i domowych pieleszy. Nie byłby to pierwszy przypadek skoku w bok wśród moich znajomych. Ani jedna z moich koleżanek nie doświadczyła błogiego życia z mężczyzną bez tego drobnego akcentu – i nie mam wcale na myśli tego, że opowiadała mi przy kawie o rozkoszach zdrady. Dziwnym trafem zawsze były ofiarami wypłakującymi sobie oczy za tymi, którzy zostawili je dla młodszych, zgrabniejszych i piękniejszych, albo w odwrotnej kolejności, co za różnica. A potem, jeśli wracali pełni skruchy, przyjmowały ich z otwartymi ramionami. Niepojęte! I jak tu zaufać facetowi? No, chyba że najpierw obetnie mu się jaja, ale jaki wtedy z niego pożytek? No właśnie...

– Ada? Trochę się spóźniłem, przepraszam. – Nachylił się, żeby cmoknąć mnie w policzek, ale odwróciłam głowę.

– Pomińmy może pogawędki grzecznościowe, w tej sytuacji nie ma na to czasu. Wiem o wszystkim, więc może powiesz mi, co zamierzasz zrobić. Od tego wiele zależy, nie wszystko, ale sporo. – Przeszłam od razu do konkretów. – I właściwie dlaczego do mnie zadzwoniłeś? Zauważyłeś, że cię śledzę?

– Śledzisz mnie?! – niemal wykrzyknął. Kilka osób z sąsiedniego stolika spojrzało z zainteresowaniem w naszą stronę.

– A co ty sobie wyobrażasz? Ewka jest moją siostrą, skoro nie może liczyć na własnego męża, to na kogo, jeśli nie na rodzinę?

– To znaczy, że prosiła cię o to?

– Nie – przyznałam niechętnie. – Postanowiłam sama sprawdzić, czy to, o co cię podejrzewa, jest prawdą.

– A jest?

– Ty mi to powiedz! Czy nie po to chciałeś się ze mną spotkać?

Adam westchnął głęboko i na chwilę schował twarz w dłoniach. Jak mi się tu zaraz rozpłacze i zacznie się tłumaczyć, że naprawdę nie chciał, że to ona go uwiodła i że on jest bez winy, to chlusnę mu tą kawą w twarz! O, nie, już wypiłam. W takim razie zamówię kolejną. Albo lepiej nie, potrzebuję czegoś większego, na przykład dużego piwa. Ładnie będzie wyglądało na jego koszuli.

— To wszystko zabrnęło za daleko i zupełnie nie w tym kierunku, co trzeba — zaczął po chwili. — Wiesz dobrze, że bardzo kocham Ewę...

Uhm, i teraz pewnie nastąpi ale. Ulubione słowo wszystkich facetów.

— ... ale od dłuższego czasu coś się między nami psuło.

Wiedziałam! Nędzny bufon! Mógłby się postarać o coś bardziej oryginalnego.

— Dni zaczęły być dokładnie takie same, codziennie ten sam scenariusz, w którym brak było czasu dla naszej dwójki. Te same rozmowy przy kolacji, pytania: „jak minął dzień?" albo „co w szkole?". Poza tym kiedy jest się z drugim człowiekiem przez piętnaście lat, spędza się z nim każdą wolną chwilę, to trudno mówić o jakiejś intymności, wzajemnej satysfakcji. Wszystko pokrywa się pyłem. Rozumiesz mnie?

Czy ja go rozumiem? Mój najdłuższy związek trwał miesiąc i jakoś nic mnie nie przysypało.

— Zaczęliśmy o tym rozmawiać, właściwie to ja mówiłem, bo Ewa nie chciała. Nie widziała w tym żadnego problemu, według niej tak właśnie powinno wyglądać małżeństwo po piętnastu latach. W dodatku zaczęła się ubierać tak jak wasza matka...

Nie wytrzymałam i parsknęłam śmiechem.

— Adam, nie przesadzaj. Ona może i zaczęła nosić powłóczyste kwieciste kiecki, ale przynajmniej ma poczucie humoru, w przeciwieństwie do ciebie. Wybacz, ale skoro już jesteśmy szczerzy...

— Jasne, nie ma sprawy. Mnie też chodzi właśnie o szczerość, szczególnie w związku, jednak nie taką, która ogranicza się do krytycznych uwag, ale wspiera.

OK, zgubiłam się. Zawsze się gubię, kiedy mężczyźni zaczynają używać języka rodem z chicklitów. „Chodzi mi o szczerość", na Boga, który facet tak mówi?! I co właściwie ma na myśli? Musiałam mieć to wypisane na twarzy, bo przeszedł od razu do sedna.

– Tęsknię za początkami. Chciałbym się w niej znowu zakochać. Nie móc oderwać od niej oczu, trzymać ją wciąż za rękę, całować, kiedy przyjdzie mi na to ochota, uprawiać z nią na okrągło seks.

Ha, i tu cię mam, ptaszku! Oczywiście że chodzi o seks! O co mogłoby chodzić facetowi? Te wszystkie romantyczne wstawki to tylko fasada.

– A powiedziałeś jej o tym? Zrobiłeś cokolwiek, żeby to ona się w tobie na nowo zakochała?

– Zacząłem o siebie dbać, no wiesz, siłownia, basen, inne ciuchy. Chciałem być dla niej wciąż przystojny, pociągający.

– I?

– Zaczęła marudzić, że szwendam się po pracy i mało czasu spędzam w domu.

– A kupiłeś jej kiedyś kwiaty, tak bez okazji, po prostu?

– Raz. Nawrzeszczała na mnie, że wydaję pieniądze na takie bzdury.

– Adam, tak reagują wszystkie kobiety! Tak naprawdę każda z nich marzy o wielkim bukiecie róż co rano na łóżku i romantycznych kolacjach, ale żadna się do tego nie przyzna. Piętnaście lat żyjesz z jedną kobietą pod wspólnym dachem i jeszcze się nie zorientowałeś?

– Poza tym, od czasu kiedy przyniosłem jej ten bukiet, zaczęła się dziwnie zachowywać. Stała się podejrzliwa, wypytywała mnie, co robię, miała mi za złe, kiedy musiałem zostać dłużej w pracy. Zupełnie jakbym ją zdradzał.

No i w końcu ją zdradziłeś, a teraz oczekujesz ode mnie zrozumienia, co? Nic z tego, frajerze!

– Przestaliśmy w ogóle się kochać, po tych kilku razach, kiedy nasz seks był... Bo ja wiem, bez uczucia, namiętności. Wreszcie postanowiłem coś zmienić.

Coś czy kogoś?

– Uatrakcyjnić nasze życie łóżkowe. Poprosiłem ją, by wybrała sobie prezent urodzinowy z sex shopu, coś pikantnego, co sprawi, że nasz związek nabierze kolorów. Ale Ewa się na mnie obraziła. Nie była gotowa na zmiany, a ja tak, dlatego...

– Zanim przejdziesz do tego, co zrobiłeś, o ile w ogóle chcę to usłyszeć, powiedz mi najpierw, czy wciąż ją kochasz.

Wtedy przy naszym stoliku zjawiła się kelnerka i zaczęła sprzątać. Trwało to w nieskończoność, a kiedy przy wymianie popielniczki na czystą, zadrżała jej ręka i wysypała popiół na blat, nie wytrzymałam:

– Na litość boską! Niech już pani to zostawi i pozwoli nam dalej rozmawiać.

Spłoszyła się i uciekła. Chyba trochę przesadziłam, ale tu ważą się losy mojej rodziny! Adam przeprosił mnie na moment i poszedł do łazienki. Kiedy wrócił, nie dał mi dojść do słowa.

– Dlatego, jak mówiłem, poszedłem na terapię.

Co takiego?

– Znalazłem specjalistę, który prowadzi terapię dla małżonków z zahamowaniami seksualnymi. Zebrałem się na odwagę i poszedłem na jedno spotkanie. Przedstawiłem w zarysie problem i zdecydowałem się na jednoosobową sesję, tylko terapeuta i ja. Zrozumiałem dzięki temu wiele rzeczy, dostrzegłem przyczyny, a Monika...

Jest i nasza ciocia Monika. Widzę, że płeć terapeuty też dostrzegł.

– ... stopniowo zaczęła mnie uczyć, jak wpłynąć na Ewę i uleczyć nasz związek. – Westchnął głęboko. – Aż w końcu...

Jego słowa zagłuszył potężny huk. Przestraszeni, podskoczyliśmy w fotelach i odruchowo spojrzeliśmy w stronę baru. Stała tam, oczywiście, ta przeklęta kelnerka! A obok niej, na podłodze znajdowała się pokaźnych rozmiarów kupa stłuczonego szkła. Czując na sobie mój morderczy wzrok, dziewczyna zadygotała i natychmiast zawróciła, tylko że zbyt pospiesznie. Tym razem na ziemię poleciała szklana patera z sernikiem. Turyści zaczęli bić brawo. Przecież tu się nie można skupić!

– Adam?

– O czym to ja...? A, o Monice. Pokazała mi, co zaniedbaliśmy w naszym związku, i poradziła, jak to zmienić. Jest naprawdę fantastyczna! Staś ją bardzo polubił.

– O, tak. – Uśmiechnęłam się jadowicie. – Sporo od niego słyszałam o cioci Monice.

– To ty wiesz? – zaniepokoił się Adam.

– Daj spokój! Sądziłeś, że utrzymasz to w tajemnicy? Kraków to w gruncie rzeczy prowincjonalna mieścina, wiadomości rozchodzą się tu nawet szybciej od małżeństw. Tym bardziej kiedy prowadzasz się z nią po mieście! A te wizyty w sex shopie? Bielizna dla zboczeńców? Imprezy w knajpie gejowskiej? Zabawy w jej gabinecie w „mamusię i tatusia", kiedy Staś oglądał bajki na komputerze?!

179

– Zaczynałam się niebezpiecznie rozkręcać. Musiałam to przerwać, zanim zacznę wypominać mu błędy moich byłych facetów. Solidarność kobieca bywa czasami groźna.

W tej samej chwili podeszła do nas staruszka w kapelusiku z dyskretną woalką ubrana w ciemną garsonkę. Jeszcze przed chwilą piła herbatę przy stoliku z prawej strony. Stanęła nad Adamem i pokiwała trzęsącą się głową:

– Dobrze mówisz, moje dziecko. My, kobiety, powinnyśmy się wspierać. – Po czym podniosła stojący na stoliku kufel z piwem i chlusnęła Adamowi prosto w twarz.

– Powinieneś się wstydzić, młodzieńcze – rzuciła jeszcze na odchodnym, postukując laską w drewnianą podłogę ogródka Bunkra.

Mój szwagier oniemiał. Siedział sztywno w fotelu, a piwo ściekało mu strużkami po policzkach. Był taki... żałosny.

– Yyy, chcesz chusteczkę? – Pochyliłam się i zaczęłam grzebać w torbie, dusząc się z powstrzymywanego śmiechu.

– Możesz już przestać. To nie było śmieszne. To nawet teraz nie jest śmieszne – odezwał się wreszcie grobowym głosem.

Ależ skąd... Ja przecież... Nie, wcale nie...

Kiedy już znalazłam chusteczki, najpierw otarłam sobie załzawione ze śmiechu oczy.

– Ada, zakładam, że i tak mi nie uwierzysz, kiedy powiem ci, że między mną a Moniką nie zaszło nic z rzeczy, które sugerujesz, a których sugerowanie wspaniałomyślnie ci wybaczam, gdyż jesteś siostrą mojej żony. Wszystko to, co przed chwilą wymieniłaś, należało do mojej terapii, miało mnie otworzyć, pozbawić zahamowań i wyzwolić głęboko ukrywane potrzeby. A to, co nazywasz zabawą w „mamusię i tatusia", było rozmowami przygotowującymi mnie do spotkania z Ewą, pierwszego po tym jak mnie wyrzuciła z domu. Proszę, to wizytówka Moniki, możesz sama do niej zadzwonić i się przekonać. I zapewniam, że sypiam w pokoju hotelowym. Sam.– I poszedł do łazienki, zostawiając za sobą mokre plamy.

Kelnerka na widok wciąż ociekającego piwem Adama zerwała się z miejsca ze szmatką w ręku, zawahała się jednak, zerknęła na mnie, zbladła i najwyraźniej zrezygnowała z planów ratowania klienta. Boże, co za obsługa!

Na wizytówce pod nazwiskiem Moniki L. widniało – seksuolog i terapeuta rodzinny.

Wybrałam numer i zadzwoniłam. Do Anki, rzecz jasna.

– Ciocia Monika jest seksuologiem i prowadzi terapie dla małżeństw.

– Monika L.? Mówimy o Monice L.? – ucieszyła się Anka.

Na to wygląda. Oprócz tego, że ma osobiste zajęcia z moim szwagrem, to jeszcze go posuwa w ramach godzin nadobowiązkowych.

– Niemożliwe.

– A niby czemu?

– Daj spokój! Znam ją, to profesjonalistka, zajmuje się naprawianiem relacji małżeńskich, a nie doprowadzaniem ich do całkowitego rozpadu. Poza tym Monika nie zaprzepaściłaby kariery dla t a k i e g o gościa jak Adam.

– Po pierwsze, czemu jesteś taka pewna tego jej profesjonalizmu, a po drugie, co masz na myśli, mówiąc t a k i e g o? – zapytałam podejrzliwym tonem. Może i nie jest idealny, ale to w końcu m ó j szwagier.

– Ada, przecież podczas studiów wynajmowałyśmy razem mieszkanie. Znam ją na wylot. No, nie w sensie biblijnym – dopowiedziała, ukrócając moje domysły – ale kiedy mieszka się z drugim człowiekiem przez pięć lat, wie się o nim więcej niż on sam. Miałam poza tym okazję poznać jej licznych facetów, których łączyła jedna wspólna cecha: byli zaprzeczeniem tego, kim jest Adam. Cóż, twojego szwagra raczej trudno zaliczyć do bożyszczy seksu. Uwierz mi na słowo, ona gustuje w zupełnie innych mężczyznach. Obejrzałaby się za... bo ja wiem... za José, ale nie za Adamem.

Hm, może ma rację. A przecież wszystko tak ładnie zaczęło się układać w harmonijną całość.

– Ada, jesteś tam?

– Jestem, ale muszę kończyć. Adam pewnie zaraz wróci.

Miałam mętlik w głowie. I komu wierzyć? Z jednej strony zapłakana Ewka, z drugiej – seksowna terapeutka. Z kolei intuicja Anki jeszcze nigdy jej nie zawiodła, mnie zresztą też nie. Skoro tak dobrze zna tę Monikę... I właśnie wtedy mnie olśniło. Co ja tu właściwie robię? Przecież mam własne życie do ułożenia! Trzeba się z tego jak najszybciej wycofać.

Zanim Adam wrócił z łazienki, przemyślałam całą sytuację. Przeproszę go, a potem wytłumaczę się siostrzaną troską. A może lepiej się rozpłakać? To zawsze działa na facetów. Ale to nie facet, to mój szwagier. Tak, po prostu go przeproszę, uściśnę, powiem, że go podziwiam za to wszystko, co zrobił, żeby uratować ich związek, że tak naprawdę to od początku wierzyłam w jego niewinność, tylko...

Fotel obok zatrzeszczał. Adam znów był mokry.

– Staruszka wróciła? – zapytałam niewinnie.

– Nie, nie było papierowych ręczników.

No dobra, do dzieła.

– Adam, chciałam ci powiedzieć, że... że gdyby teraz wróciła, przyjęłabym na siebie kolejne piwo.

No, niezupełnie właśnie to chciałam mu powiedzieć, ale sens mniej więcej był ten sam.

– Poza tym teraz lubię cię zdecydowanie bardziej niż przedtem. Podoba mi się ta szczerość między nami i bardzo bym chciała, żeby tak już zostało, szwagrze.

Roześmiał się z ulgą.

– Odtąd zawsze już będę z tobą szczery. Właściwie to od początku naszego spotkania chciałem ci powiedzieć, że fatalnie wyglądasz w tej fryzurze.

Halo! Nie o taką szczerość mi chodziło!

– Ada, ja tylko żartowałem – dodał od razu, widząc moją minę. – Pracuję nad swoim poczuciem humoru. Monika mi to zasugerowała.

Szczerość szczerością, ale przecież nie powiem mu, że poczucie humoru albo się ma od urodzenia, albo nie.

ROZDZIAŁ DZIEWIĘTNASTY,
W KTÓRYM OKAZUJE SIĘ, ŻE NIE TYLKO KOBIETY
CZYTAJĄ CHICKLITY

Nie byłam pewna, czy tak do końca mu wierzę. Brzmiał niby przekonująco, ale czy mężczyźni, którzy próbują zatuszować zdradę, właśnie tak nie powinni brzmieć? Z drugiej strony, ten dziwny język... Adam nigdy nie mówił w ten sposób, właściwie to zazwyczaj niewiele mówił, tylko gapił się na Ewkę. Z tą jego szczerością i chęcią mówienia o uczuciach przypominał mi bardziej geja albo kobietę. Hm, jeśli tak mu zostanie, to niezawodnie będzie pierwszym heteroseksualnym mężczyzną, z którym da się n o r-m a l n i e porozmawiać. Toż to skarb, a nie facet! I jeszcze ta jego otwartość na zmiany w związku, pójście z własnej woli na terapię – kocham go! Po prostu go uwielbiam! Niech tylko Ewka spróbuje go nie docenić, już ja jej to wybiję z głowy! Rozmyślałam tak, idąc powoli przez Planty. Z tego wszystkiego zapomniałam nawet o srających gołębiach, cud, że żaden mnie nie namierzył. Turyści jednak do czegoś się w tym mieście przydają. Wszyscy tłumnie wylegają na deptak wokół Rynku, zajmują ławeczki, zdejmują kapelusze, odpoczywają sobie w cieniu pięknych rozłożystych drzew, na których czekają już gołębie. Im więcej ludzi, tym lepiej – pocisk srakulca może odbić się rykoszetem od jednej głowy i dosięgnąć stojących najbliżej. Dlatego właśnie należy omijać szerokim łukiem małe grupki, które gromadzą się na Plantach wokół ławek – tam jest epicentrum. Najweselej bywa, kiedy pojawiają się firmy odstraszające gołębie. Wtedy po Plantach wolniutko toczy się samochód, który nagle przystaje sobie pod jednym drzewem, po czym wydaje z siebie potężny huk. Hałas jest tak porażający, że wszyscy staruszkowie w okolicy dostają arytmii, dzieci zaczynają płakać, psy wyć, a srakulce zrywają się do lotu. Z furkotem skrzydeł wzbijają się w powietrze, ze strachu wszystkie srają na potęgę na ów samochód, po czym przenoszą się na sąsiednie drzewo. Drzew na Plantach jest dużo, czasami to trwa kilka godzin, czasami kilkanaście. Panowie z firmy rezygnują zazwyczaj, dopiero kiedy mają tak obsraną szybę, że już nic przez nią nie widzą. Ach, kocham to miasto, pomyślałam sobie, skręcając w stronę Rynku. Z pewnością zaraz spotkam kogoś znajomego, przecież nie da się tu wyjść na samotny spacer.

– Ada! – wrzasnęło coś.

Obejrzałam się wokół, ale nie mogłam zlokalizować źródła tego wrzasku. Dopiero po chwili ujrzałam jakąś postać wymachującą rękami z samego środka wycieczki Japończyków. Postać zaczęła się przepychać przez tłumek turystów.

– Uff, już myślałem, że się tam uduszę – powiedział Wojtek, ocierając czoło wierzchem dłoni.

Cmoknęłam go na powitanie w policzek i zapytałam, czy wybrałby się ze mną na kawę.

– Byle nie na Bracką. Tam jest za dużo krakowskich artystów, brrr. – Wstrząsnął się z obrzydzeniem. – Chodźmy w jakieś bardziej anonimowe miejsce.

Wojtek nie lubił się lansować w typowo krakowskich miejscach, jak sam to kiedyś ujął: „dbam o swoją opinię". Poszliśmy więc w przeciwną stronę, licząc na wolny stolik w jednej z tamtejszych małych knajpek.

– A co z Anką? Nie wyglądała najlepiej tamtej nocy na imprezie.

Szczególnie kiedy zanosiliśmy ją do taksówki. Wojtek potem przez dobrych dziesięć minut próbował upchnąć w samochodzie jej nogi. Tak, tyle że potem razem z Rafałkiem i Tomkiem wrócili na górę, a ja musiałam się nią zająć. Solidarność kobieca nie obejmuje niestety gejów.

– Następnego poranka, jak zawsze zresztą, była wypoczęta, w radosnym nastroju i pełna energii. Nie mam pojęcia, jak ona to robi. Chyba się po prostu przystosowała. – Westchnęłam z zazdrością. – Też bym tak chciała, jak pomyślę o tych wszystkich kacach...

– Nic nie mów! Bardzo cię proszę, nie przypominaj mi tego. Nigdy więcej nie wezmę do ust alkoholu. Nigdy!

Złorzecząc pod adresem alkoholowych napojów, rozglądaliśmy się za wolnym miejscem. Wszędzie pełno. Już mieliśmy zrezygnować z kawy, kiedy przyszło wybawienie. W knajpce po drugiej stronie ulicy, przy stoliku, pod parasolem, na przeraźliwie trzeszczącym wiklinowym fotelu siedział Maniuś. W dodatku sam. Zaczytany.

– Maniuś, jak miło cię widzieć! Właśnie o tobie mówiliśmy. – Wyszczerzyłam do niego zęby.

Był naszą ostatnią deską ratunku, nie mógł nam odmówić. Podniósł na mnie błędny wzrok znad książki i minęły dobre dwie sekundy, zanim mnie rozpoznał. Rzuciłam okiem na okładkę tak pasjonującej lektury – to był dokładnie ten sam chicklit, który kupiłam niedawno Ewce.

– Ada, przepraszam, zaczytałem się – zaczął nie do końca zadowolony z mego widoku, ale kiedy tylko jego wzrok spoczął na stojącym za mną Wojtku... – O, już odkładam książkę, jest znakomita, ale znacznie bardziej wolę dobre towarzystwo. – Zerwał się gwałtownie i przysunął nam dwa krzesła. – Czego się napijecie?

Nie chciał słuchać moich protestów i od razu poszedł kupić nam kawę. Kiedy wrócił, pachniał zdecydowanie intensywniej niż przed chwilą, a z kieszonki marynarki dyskretnie wystawała mu butelka męskich perfum.

– Jeszcze się nie znamy – zwrócił się aksamitnym głosem do Wojtka. – Jestem Mieczysław.

Myślałam, że spadnę z tego trzeszczącego krzesła. Mieczysław?! Maniuś ma na imię Mieczysław?! Niewiarygodne.

– A ja Wojciech – usłyszałam w odpowiedzi Wojtka, który nagle zrobił się jakiś taki miękki, niemalże puszysty.

Obaj spojrzeli sobie głęboko w oczy i uśmiechnęli się do siebie, a ja zrozumiałam, że powinnam spieszyć się ze swoją kawą i czym prędzej zostawić ich samych. Piłam ją drobnymi łyczkami, żeby nie poparzyć sobie podniebienia, i przyglądałam się, jak rośnie ich zainteresowanie. Powietrze wokół naszego stolika zaczęło się zagęszczać, jeszcze chwila, a nastąpi wyładowanie elektryczne. Jak to się dzieje, że wystarczyły im dwie minuty, a oni już obaj wiedzieli, że coś z tego spotkania wyniknie? Mnie się to jeszcze nigdy nie przydarzyło. Zawsze było tak, że najpierw coś ja, a dopiero potem któryś tam z kolei on, rzadko na odwrót, chociaż czasami się zdarzało. Potem był przynajmniej tydzień, kiedy ja, a potem tydzień, kiedy on, a potem już był koniec. Może jestem felerna? – zaniepokoiłam się, obserwując Wojtka i Maniusia, którzy zużywali tyle tlenu, że nagle poczułam, że jeszcze chwila, a się uduszę.

– Chłopcy, było miło, ale na mnie już czas. Do zobaczenia. – Wstałam zdecydowanie od stolika, a krzesło zatrzeszczało z podwójną siłą.

Oderwali z wysiłkiem od siebie wzrok i spojrzeli na mnie, dopiero kiedy dosunęłam z powrotem to cholerne siedzisko. Gdy skręcałam w boczną uliczkę, obejrzałam się na chwilę i zobaczyłam, jak Wojtek przesiada się bliżej Maniusia. Ach, miłość wisi w powietrzu, pomyślałam z rozmarzeniem i poprawiłam sobie fryzurę przed witryną sklepu. Nagle pod palcami poczułam coś niepokojącego... Nasrał na mnie gołąb i żaden z tych wstrętnych gejów nic mi nie powiedział?!

Kiedy weszłam do domu, Kastrat przywitał mnie z furią wygłodniałego lwa. Zignorowałam go i od razu wpakowałam się do łazienki, żeby umyć głowę i pozbyć się tego paskudztwa z włosów. Problemy zaczęły się dopiero podczas wychodzenia z łazienki, a raczej podczas nieudanych prób jej opuszczenia. Nacisnęłam klamkę, pchnęłam drzwi, ale te otworzyły się zaledwie na kilka centymetrów, po czym gwałtownie odskakując (zresztą prosto w moje czoło), zacięły się. Przecież drzwi nie mogą się zaciąć w ten sposób, myślałam, próbując wcisnąć przez szparę głowę owiniętą ręcznikiem. Kiedyś, owszem, wypadły mi z zawiasów, ale jako kobieta niezależna i zaradna poradziłam sobie bez żadnego problemu – zastukałam do drzwi sąsiada z drugiego piętra i zrobiłam do niego minę totalnej blondynki. Po trzech minutach wszystko było naprawione. Niestety, teraz siedziałam zamknięta w łazience, co nieco ograniczało moje możliwości. Napieranie na drzwi z większą siłą nic nie dawało, zawsze jeszcze mogłam walić kijem od mopa w sufit i liczyć na domyślność przystojniaka z góry albo... Wzięłam dwa lusterka, jedno przykleiłam do kija za pomocą plastrów do depilacji nóg, a drugie oparłam o drzwi pod takim kątem, że przy odrobinie szczęścia, kiedy wysunę przez szparę kij z lusterkiem, obraz w nim odbity odbije się znów w lusterku numer dwa, a tym samym trafi do mnie. Wtedy może dowiem się, dlaczego te cholerne drzwi zacięły się w tak nietypowy sposób. Pierwsze próby wysunięcia kija spełzły na niczym – Kastrat myślał, że to zabawa i zaczął atakować lusterko. Dopiero kiedy na niego wrzasnęłam i wyzwałam od wszystkich diabłów, obraził się i odpuścił. Teraz tylko trzeba trochę pomanewrować i...

– Kastrat!!! Ty piekielny pomiocie, dlaczego wsunąłeś swoją miskę pod moje drzwi???!!!

Przez następne pół godziny klęczałam na podłodze i wypychałam na oślep zaklinowaną miskę pilnikiem do paznokci przez szparę w drzwiach. I klęłam na tego potwora, który, kiedy już udało mi się wyjść, radośnie miauknął na mój widok.

W czwartek rano zadzwoniła do mnie zdenerwowana Ewka.

– Zostało tylko pięć godzin do spotkania z Adamem – powiedziała grobowym tonem.

– Spokojnie, wyjaśnicie sobie wszystko i będzie w porządku. – Próbowałam ją pocieszyć, nie zdradzając się, że znam już całą historię.

– Co ja zrobię, jeśli rzuci mi prosto w twarz, że odchodzi do innej?!

— Hm, zawsze możesz chlusnąć w niego piwem. — To było pierwsze, co przyszło mi do głowy. — Ale na pewno do tego nie dojdzie. Jesteście dwójką dorosłych ludzi, którzy potrafią się porozumieć, nie zapominaj o tym.

— Skąd nagle u ciebie ten optymizm? — zapytała podejrzliwie.

— Ewa, daj spokój, jest sierpień, miesiąc miłości, trzeźwości, wszystko jedno. Wszyscy się kochają, uczucie unosi się w powietrzu...

— To nie uczucie, to smog.

— Ewa, proszę cię! Nastaw się jeśli nie pozytywnie, to przynajmniej neutralnie, ale nie skreślaj od razu Adama. W końcu jesteście małżeństwem od piętnastu lat.

— No właśnie, może czas już z nim skończyć.

— Wiesz co, Ewka, nie będę z tobą dłużej gadać, bo mi psujesz nastrój życiowy. Zadzwoń do mnie po spotkaniu, OK? — I rozłączyłam się lekko zirytowana jej marudzeniem. Ma tak fantastycznego faceta, a nie potrafi tego docenić. Te kobiety...!

Czekał mnie jeszcze telefon do matki, którą musiałam przekonać, że jej największym marzeniem jest zaopiekowanie się przez pięć dni moim kotem. Odwlekałam to niewdzięczne zadanie z minuty na minutę, zrobiłam sobie nawet trening przed lustrem, powtarzając na głos przygotowane zawczasu kwestie, wreszcie wycelowałam w swe odbicie palec wskazujący i powiedziałam z pełnym przekonaniem:

— Jesteś świetna! Po prostu rewelacyjna! Poradzisz sobie!

Kiedy sięgałam po telefon, zadzwoniła Anka.

— Spakowana?

— Jeszcze nie, przecież jedziemy jutro po południu. Chyba że coś się zmieniło...

– Nie, nie, wszystko po staremu. Tylko cię sprawdzam, czy nie zapomniałaś. I przy okazji: przed chwilą rozmawiałam z Moniką L.

– O, i co? Zapytałaś przypadkiem, czy nie uwiodła mojego szwagra?

Odpowiedziała mi cisza.

– Anka, ja tylko żartowałam!

– Jasne, dzwonię do ciebie ze wspaniałą nowiną, a ty, niewdzięcznico, starasz się mnie zdenerwować.

– Zamieniam się pokornie w słuch.

– Pogadałyśmy sobie z Moniką o starych czasach, ja wspomniałam o Adamie, ona o tobie – że widziała, jak ich śledzisz i jak pewien menel niemal pozbawił cię czucia... Ha, ha, ha! – prychnęła ze śmiechu. – Czemu mi o tym nie wspomniałaś?

Teraz to ja milczałam.

– OK, nieważne. W każdym razie powiedziałam jej o twoich urodzinach, że zabieramy cię stąd na kilka dni i mamy mały problem w postaci Kastrata.

– Nie rozumiem – powiedziałam ostrożnie.

– Halo! Przecież wiem, ile wysiłku kosztuje cię namówienie twojej matki na opiekę nad nim. Dlatego załatwiłam Kastratowi kilkudniowy pobyt w luksusowym apartamencie Moniki L.

– Poważnie?! – Nie mogłam w to uwierzyć.

– Nie, żartowałam. Oczywiście że poważnie! Dziękować będziesz mi później, a teraz lepiej skup się na pakowaniu. A co z José? – zapytała mnie znienacka.

– A co ma być? Już wszystko w porządku, przemyślałam to i doszłam do wniosku, że nie będę robić nic przeciwko Glorii, więc odpuściłam sobie. – Nawet ja nie usłyszałam swoich ostatnich słów, bo najwyraźniej koło Anki przejechał właśnie jakiś tramwaj.

– Co?! Co mówiłaś? – wrzasnęła do telefonu.

– Że wszystko w porządku! – Doszłam do wniosku, że resztę wytłumaczę jej, jak się spotkamy.

– To świetnie, bo zapro... – Kolejny tramwaj całkowicie zagłuszył Ankę.

– Nie usłyszałam! Co mówiłaś?

– Że zapro... – Znowu huk.

Co ona robi w zajezdni tramwajowej? Dalsza rozmowa była bez sensu, poza tym przerwało nam połączenie. Dopiero kiedy jej o tym powiedziałam, naprawdę poczułam, że sobie go odpuściłam. Wystarczyło tylko myśleć nie o José, ale o Glorii, i wszystko samo wskakiwało na właściwe miejsce. Poza tym mam swoją godność i nie będę się poniżać dla jakiegoś faceta! Jestem niezależną, zaradną i samodzielną kobietą i żaden typ nie będzie mi wywracał życia do góry nogami. Już nieraz przekonałam się na własnej skórze, że w życiu liczyć można tylko na inne kobiety, nigdy na mężczyzn.

Teraz już zostało mi tylko spokojne pakowanie się, muszę czymś zająć myśli, żeby nie wpaść w przedurodzinowe rozważania o moim życiu. To co roku kończy się ciężką depresją prowadzącą do ciężkiego kaca. Gdzieś tam pomiędzy jednym a drugim jest miejsce na alkohol, o którym wszak miałam nie myśleć. Samo wspomnienie jest wystarczająco niemiłe, nigdy więcej żadnego alkoholu!

ROZDZIAŁ DWUDZIESTY,
W KTÓRYM ADA ZNÓW CIESZY SIĘ Z KOLEJNYCH URODZIN

Otworzyłam jedno oko i świat się przewrócił. Nie, to ja się przewróciłam. Zaraz, zaraz, przecież leżę w łóżku... Niech pomyślę, ale z zamkniętymi oczami, tak jest znacznie lepiej – wczoraj był czwartek, Ewka miała się spotkać z Adamem i zadzwonić do mnie, ale się nie odezwała. A ja przeglądałam chyba szafę, żeby wybrać coś na dzisiejszy wyjazd... Jezu, wyjazd! Ja się stąd nigdzie nie ruszę! Zadzwoniła Marzena, chyba zadzwoniła, a może zapukała do drzwi? Nie pamiętam. Kto by tam pamiętał takie rzeczy? Przyniosła butelkę, a może dwie czegoś, czego nazwy nie mogę wymówić nawet w myślach, bo nie zdążę dobiec do łazienki. Czemu ta łazienka jest tak daleko? A potem chyba jeszcze wychodziłyśmy do sklepu po fajki i coś do picia. Nie pamiętam, o której wyszła. Nie pamiętam nawet, żeby w ogóle wychodziła! Może leży obok mnie w łóżku, ale nie mam siły, żeby przekręcić głowę. To koszmar. Alkohol jest koszmarem. Jak to w ogóle można pić?! Niepojęte. Od dziś nie piję. Już nigdy... Chyba rozmawiałyśmy wczoraj o naszej spółce. Tak, na pewno, pytała, kiedy dokładnie wracam z urodzinowego wypadu, żeby zaplanować walne zebranie w kwestii rozkręcania biznesu.

I musiała się zaprzyjaźnić z Kastratem, bo doszła wczoraj do wniosku, że chce mieć kota. Zastanawiałyśmy się, jak dać mu na imię, ale nie mogę sobie przypomnieć, co ustaliłyśmy. Moja głowa... Czemu mnie właściwie boli głowa? Ach, tak, już pamiętam...

Musiałam zasnąć, bo kiedy następnym razem otworzyłam jedno oko, wszystko wyglądało zdecydowanie lepiej. Na łóżku obok mnie nie było Marzeny, podobnie w drugim pokoju, z czego wywnioskowałam, że jednak udała się zeszłej nocy do domu. Kastrat leżał z wydętym brzuchem obok wciąż pełnej miski, chyba mu za dużo wczoraj nasypałam. Właściwie to nie pamiętam, żebym mu dawała jeść, ale przecież to nie jest aż tak ważne. Spojrzałam za to na zegarek, dzięki czemu krew żywiej zaczęła krążyć mi w żyłach. Była czternasta, do wyjazdu zostały mi raptem dwie godziny, że już nie wspomnę o kocie...

Delikatnie, żeby nie zniszczyć tej kruchej harmonii ze światem, w której przed chwilą się obudziłam, zaparzyłam sobie kawę i odsłuchałam wiadomości nagrane na sekretarce. Ewka powiedziała tylko:

– Masz wyłączoną komórkę.

A Anka, którą uwielbiam, ubóstwiam i ślady jej stóp całować będę:

– Nie odbierasz telefonu, więc pewnie znowu schlałaś się na smutno przed urodzinami. Zakładam, że dopiero dochodzisz do siebie, więc wpadnę koło piętnastej i odwiozę Kastrata do Moniki. A my przyjeżdżamy po ciebie po szesnastej, masz być gotowa!

I jeszcze mama:

– Kochanie, słyszałam, że wyjeżdżasz na kilka dni. A ja już upiekłam tort urodzinowy. I co niby mam teraz z nim zrobić? I nawet nie myśl o tym, że zaopiekuję się twoim popapranym zwierzęciem.

Cudownie jest dowiedzieć się czasem, że świat niewiele się zmienił.

Zanim zjawiła się Anka, byłam już wykąpana, ubrana i spakowana. Wepchnięcie Kastrata do transportera zajęło nam trochę czasu, bo to upiorne bydlę nie znosi podróżować i zapiera się wszystkimi łapami. Skapitulowało jednak, jak zawsze, zaledwie po kwadransie i zniknęło z Anką za drzwiami. Kiedy piłam drugą kawę, przypomniałam sobie nagle o zdjęciach. Przecież Anka miała je w środę odebrać z zakładu! A zresztą, teraz mogą poczekać tych kilka dni, nic im się nie stanie. Człowiek na lekkim kacu jednak łagodnieje...

Jeszcze raz przejrzałam plecak: strój kąpielowy, olejek do opalania i ręcznik. To wszystko? Przecież się spakowałam. Po chwili za sofą odkryłam drugi plecak, do którego w gorączce wyjazdowej schowałam resztę rzeczy, czyli spodnie, sweter, piżamę i kilka bluzek. A, jeszcze bielizna! I kosmetyki! Może kiedyś ewoluuję i nauczę się wreszcie robić listę niezbędnych rzeczy. Zastanawiałam się intensywnie, czego jeszcze będę tam potrzebować, ale szybko dałam sobie spokój. I tak, jak zwykle, po dwudziestu minutach od wyjścia z domu zacznę sobie przypominać o tym, czego zapomniałam. Mojej porządnej siostrze nigdy się to nie zdarzyło. Właśnie, Ewka, miałam do niej zadzwonić. Sięgnęłam do kieszeni po telefon, ale tam go nie było. W torebce też nie. Ani pod łóżkiem, ani pod sofą. Sprawdziłam kuchnię i łazienkę, nic. Czemu rzeczy muszą ginąć akurat wtedy, kiedy ich się najbardziej potrzebuje?

— Kastrat, znowu zwędziłeś mi telefon! — krzyknęłam z furią, zanim przypomniałam sobie, że przed chwilą Anka zabrała z domu kocura.

W domu czy poza domem, kot okazał się idealnym tropem. Jedynym miejscem, gdzie by się właśnie teraz schował, był mój prawie spakowany plecak. Zajrzałam do środka i, oczywiście, znalazłam telefon misternie zawinięty w sweter. Od razu wybrałam numer Ewki. Nie odbierała. Dziwne... Spróbowałam zatem dodzwonić się do Adama, bo ta cisza trochę mnie niepokoiła, ale też mi się nie udało. Dostałam za to wiadomość od Anki:

— SCHODZ NA DOL. CZEKAMY.

Kiedy uchyliłam bramę i wyjrzałam na ulicę, poczułam, że uginają się pode mną kolana. Zrobiło mi się słabo. Przed kamienicą stał autokar, z którego machał do mnie dziki tłum ludzi wykrzykujących jakieś niezrozumiałe hasła. O mój Boże, pomyślałam, chyba trochę przesadzili. Mam z nimi spędzić pięć dni?! W dodatku moje urodziny? Wracam do domu! Obróciłam się na pięcie, ale w tej samej chwili usłyszałam głos Anki. Stała przed żółtym busikiem zaparkowanym tuż za autokarem.

— Tu jesteśmy! — Machała ręką.

Co za ulga!

W środku siedzieli już Rafał z Tomkiem, Aga przytulona do tyczkowatego gościa, którego imię na pewno kiedyś poznałam, Wojtek i...

— Niespodzianka!

Marzena. To będzie cudowny wyjazd, ale tym razem żadnego alkoholu!

Po drodze zatrzymaliśmy się jeszcze niedaleko dworca, gdzie czekał już na nas Maniuś z niewielką walizką i wiklinowym koszem w ręku. Wojtek ruszył się, żeby pomóc mu ulokować bagaż za siedzeniami, ale zanim to zrobił, nachylił się do mnie i szepnął:

– Zakochałem się, i to dzięki tobie.

Gdyby tak jeszcze dla odmiany ktoś zakochał się we mnie, czułabym się zdecydowanie lepiej, ale dobre i to. Aż miło było na nich popatrzeć. Ciekawy ten nasz bus – trzy zakochane pary, dwie samotne kobiety i jedna trefna mężatka.

Minęły dobre dwie godziny, zanim przedarliśmy się przez krakowskie korki, kordon policjantów wymachujących kończynami na wszystkich większych skrzyżowaniach i ze trzy blokady spowodowane przejazdem rządowych pojazdów. Kraków miastem dla ludzi... Kiedy już wyjechaliśmy na autostradę, domyśliłam się, że zmierzamy raczej na północ. Może Mazury? Dostać w prezencie urodzinowym kilka dni pod żaglami... Leniwy spokój na wodzie, kołysanie, szmery i wiatr, kormorany i tysiące komarów. Co prawda nie umiem pływać, ale kto by się przejmował takimi drobiazgami? Zawsze przecież mógłby znaleźć się jakiś przystojny mężczyzna, który wyłowiłby mnie z topieli i wyniósł ociekającą wodą na brzeg, a tam w świetle zachodzącego słońca złożyłby na mych wargach pocałunek życia. Jak znam moje szczęście, to właśnie w tym momencie zwymiotowałabym na mego wybawiciela, jako że woda z jeziora w dużych ilościach podrażnia ścianki żołądka. Hm, mimo wszystko nie mam nic przeciwko.

Senny warkot silnika i wspomnienie po porannym kacu momentalnie mnie uśpiły. Obudziłam się, dopiero kiedy poczułam ostre szarpnięcie.

– Ada, wstawaj! Rany boskie, ile ty możesz tak spać? Idziemy na kolację, no rusz się wreszcie.

Byłam nieprzytomna. Staliśmy na parkingu pod przydrożną restauracją, w busie byłyśmy tylko we dwie z Anką, która właśnie próbowała mnie dobudzić. Spojrzałam na zegarek – spałam cztery godziny. I oddałabym wiele, żeby móc spać dalej.

– Nic z tego, idziesz z nami na kolację. – Była bezwzględna.

Jęknęłam tylko i wygrzebałam się z samochodu.

– Gdzie my w ogóle jesteśmy? – zapytałam, rozpaczliwie ziewając.

– Nie powiem ci, bo to niespodzianka. Urodzinowa.

Rozejrzałam się zdziwiona. Czyżby to był cel naszej podróży? W tym wielkim n i g d z i e? Anka westchnęła i podniosła wzrok do góry, przy okazji zauważając podejrzaną plamę na suficie samochodu. Przyjrzała się jej uważnie, potarła poślinionym palcem i spróbowała zdrapać paznokciem.

– Tego tu nie było wcześniej – mruknęła do siebie i ignorując plamę w wypożyczonym busie, zwróciła się do mnie:

– Spokojnie, to nie koniec, jeszcze trochę drogi przed nami, więc zdążysz się wyspać, a teraz ruszaj się żwawiej.

Restauracyjka była całkiem przyjemna, chociaż te sztuczne girlandy pod sufitem mogli już sobie darować. Czułam się jak panna młoda, gdyż przypadło mi miejsce dokładnie pośrodku stołu, nad którym wisiał biały gołąbek wycięty z tektury, z dwiema złotymi obrączkami w dziobie.

– Ada, wyglądasz czarująco – zauważył Rafałek, uśmiechając się znacząco na widok gołąbka.

– Nie pierdol, kochany, jestem zaspana, na pewno mam rozmazany makijaż i w dodatku fatalnie komponuję się ze srakulcami z papieru. – Posłałam mu równie czarujący uśmiech. – Może chcesz się zamienić? Nie chciał. W świetle smętnych jarzeniówek sufitowych, które przy pozłacanych kinkietach na bocznych ścianach wyglądały jak mniej więcej ja przy Marzenie, nasze twarze przybrały odcień kredowego papieru. Papieru z szarymi zaciekami. W dodatku pogniecionego. Dopiero po kawie znowu nabrałam ochoty do życia i do jedzenia, więc spędziliśmy tam ponad godzinę. Próbowałam z nich wyciągnąć, dokąd jedziemy i co będziemy tam robić, ale mieli tak tajemnicze miny, że zrezygnowałam. Anka bezustannie nawijała o Adonisie, doprowadzając Marzenę do paroksyzmów wesołości. Wreszcie nadzwyczaj małomówny tego wieczora Wojtek nie wytrzymał:

– Anka, miej litość i przymknij się wreszcie.

Zapadła głucha cisza. Wszyscy nagle zaczęli wpatrywać się w swoje filiżanki z duraleksu, oprócz Wojtka, który zaraz miał się dowiedzieć, co go czeka, i tyczkowatego chłopca Agi, najzwyczajniej w świecie przysypiającego na krześle. Anka utkwiła w Wojtku mordercze spojrzenie i zbyt jak na nią spokojnym głosem odpowiedziała:

– OK. – Po czym umilkła, ani na moment nie spuszczając z niego wzroku.

Ten zaczął się kręcić na krześle, rozglądać za kelnerką, zamówił nawet kolejną kawę, ale chyba nie chciała mu przejść przez przełyk.

– Właściwie to cię rozumiem, w końcu jesteś kobietą – rzucił wreszcie znękany uporczywą ciszą, której nikt nie ważył się przerwać.

Rafał syknął tylko cicho i nieznacznie odsunął się od stołu. Aga szturchnęła łokciem swojego mężczyznę, ale okazało się, że ten już od pewnego czasu czuwa. Michał! Ma na imię Michał i poznałam go... Zaraz, kiedy to było? Anka wycedziła przez zęby:

– Nie rozumiem.

– Współczesna nauka twierdzi, że kobiety wypowiadają dwa razy tyle słów co mężczyźni.

Marzena najwyraźniej chciała parsknąć ze śmiechu, ale powstrzymałam ją spojrzeniem. Przed oczami widziałam już jutrzejsze wydanie lokalnej gazety: „Makabryczna rzeź w przydrożnej restauracji. Porachunki gangów czy zbrodnia z namiętności?»Na razie niczego nie możemy wykluczyć – odpowiada naszej gazecie prowadzący śledztwo porucznik Żuczek. – Dla dobra sprawy nie możemy zdradzić ustaleń dochodzenia«. Ostatniej nocy w tajemniczych okolicznościach zginął młody mężczyzna, przy jego zwłokach znaleziono kilka osób wciąż żywych, ale na granicy szaleństwa. Pokryte grubą warstwą zaschniętej krwi i, jak możemy się domyślać, fragmentami wnętrzności denata, zostały zabrane do pobliskiego szpitala psychiatrycznego. Przed restauracją znaleziono ślady po dużym samochodzie, prawdopodobnie vanie lub busie. Policja prosi o kontakt wszystkich potencjalnych świadków tego tragicznego wydarzenia".

– Bzdura, to wszystko przez to, że musimy wam dwa razy powtarzać – Anka odparła po chwili ciszy znudzonym tonem.

– Co? – zapytał zdziwiony Wojtek, a my z Agą i Marzeną omal nie spadłyśmy z krzeseł.

– Nie zrozumiałem, mogłabyś powtórzyć? – Kiedy z niewinną miną odezwał się i Tomek, Anka nie wytrzymała i zaczęła chichotać. Maniuś, ocierając łzy z policzków, próbował wyjaśnić chłopcom, dlaczego cała reszta skręca się ze śmiechu pod stołem, ale niezbyt mu to wychodziło. Był tak rozbawiony, że zawiesił się na pierwszym słowie: „bo, bo, bo, bo", i jąkał się, dopóki nie wsiedliśmy znów do samochodu.

Do urodzin została mi raptem godzina, dokładnie o północy zamierzałam otworzyć szampana, którego oczywiście wzięła ze sobą Marzena, i uczcić moje... Zaraz, trzydzieste drugie czy trzecie? Problem w tym, że nigdy nie mogłam zapamiętać własnego rocznika, na ogół strzelałam, myląc się o rok lub dwa lata w jedną czy drugą stronę. To przecież żadna różnica, stwierdziłam, ale i tak zaczęłam przeszukiwać torbę, licząc na to, że znajdę odpowiedź we własnym dowodzie. Trafiłam na numer telefonu do mojego eks-dentysty, kwit z pralni chemicznej sprzed czterech lat i stronę wyrwaną z jakiegoś katalogu. O cholera, nie z jakiegoś, tylko z t e g o katalogu, dokładnie tego, o którym Ewka zapomniała mi wspomnieć. Na pomiętej kartce widniało olbrzymie dildo w różowym kolorze, a podpis kredką świecową u dołu głosił: DLA CIOCI RZEBY NIE ZAPOMNJAŁA O PREZECIE DLA STAŚA. No pięknie, mały musiał mi to wsunąć torby, kiedy byłam u nich ostatnim razem. Hm, całkiem niezłe to dildo. Może by tak sobie sprawić na urodziny? Przynajmniej będzie działać bez zakłóceń i skończą się problemy z zostawianiem podniesionej deski od sedesu czy brudnych skarpetek na środku pokoju. Ciekawe, ile kosztuje takie cacko...? Może by tak...

Dowodu nie znalazłam, przypomniałam sobie za to, że zostawiłam go na półce w kuchni, specjalnie na wierzchu, żeby o nim nie zapomnieć.

Od chwili kiedy Ankę za kierownicą zmienił Tomek, jechaliśmy znacznie szybciej. Nikt chyba nie miał nic przeciwko, przynajmniej do momentu, w którym Aga, kręcąca się na siedzeniu już od dłuższego czasu, zapytała siedzącego obok Maniusia:

– Podpisałeś może oświadczenie o gotowości oddania swoich organów?

– Ale ja lubię moje organy – odparł nieco skołowany Maniuś – i wcale nie chcę ich oddawać.

– A ty? – Zwróciła się do przysypiającego Wojtka.

– Co ja? Ale dlaczego właśnie ja? – Bronił się przed odpowiedzią, rozpaczliwie ziewając. – Na moje organy, szczególnie te zewnętrzne, wyłączność ma tylko jedna osoba na świecie – dodał, kładąc głowę na ramieniu Maniusia.

– Z pedałami nie da się gadać – mruknęła zniesmaczona Agnieszka. – Z lesbijkami w tym gronie nie warto, bo twoja wątroba – spojrzała na Ankę – przyniosłaby biorcy więcej szkody niż pożytku. A wy?

To pytanie było skierowane najwyraźniej do mnie i Marzeny, która właśnie podawała mi butelkę piwa.

– No wiesz, ja nie mogę teraz o niczym decydować, bo jestem pod wpływem alkoholu. Cokolwiek teraz powiem, nie powinno zostać wzięte pod uwagę. Ale oczywiście, gdybyśmy teraz mieli wypadek, to wolę zostać pokrojona jako materiał poglądowy dla studentów medycyny, niż trwać na wieki na telewizorze w salonie tego idioty mego męża. Słyszeliście, prawda? To moja ostatnia wola, więc dopilnujcie tego – pociągnęła porządny łyk przyjemnie schłodzonego pilznera – proszę, zanim ten głąb mnie wsadzi do urny.

Poczułam na sobie wzrok Agi. To chyba oczywiste, że podpisałam oświadczenie, jak tylko się o tym dowiedziałam. Gdy się prowadzi tak ryzykowne życie emocjonalne jak ja, to trzeba być zawsze przygotowanym. Tylko że pierwsze zgubiłam gdzieś w pracy, na drugim przez przypadek skiepowałam fajkę, a trzeci podarł mi kot. Taki los. Widocznie kiepski byłby ze mnie dawca organów. Co ja na to poradzę?

– A dlaczego pytasz?

– Jak to dlaczego? Widziałaś, jak on prowadzi? Zaraz wjedzie na drzewo i nas wszystkich pozabija, a ile organów się zmarnuje... Bo nie pomyśleliście nawet o oświadczeniach – zakończyła z wyrzutem w głosie. Michał spojrzał na nią rozanielonym wzrokiem. Czy ten facet w ogóle kiedykolwiek się odzywa?

Zaczęłam czuć się winna za to, że tak lubię własną wątrobę. Co prawda stosunki między nami układały się dość różnie, ostatnio nawet jakby trochę się ochłodziły.

– Co za wstrętna hetera! – warknął Tomek, nie odrywając wzroku od przedniej szyby, po czym sięgnął ręką do tylnej kieszeni, wyjął kawałek pomiętej kartki i podał ją Ance. – Pisz, ja dyktuję: Niniejszym oświadczamy, że w razie nieszczęśliwego wypadku, który odebrałby nam życie, jesteśmy zdecydowani oddać wszystkie nasze organy na potrzeby potencjalnych biorców albo studentów medycyny. Gdyby nikt nie chciał naszych ciał, to naszą wolą jest, aby wszystkich oprócz Agnieszki C. pochowano w zbiorowej mogile. Ciało wyżej wymienionej ma zostać zachowane i użyte jako preparat naukowy ilustrujący wybitny przypadek upierdliwstwa.

Rafałek prychnął śmiechem, ale błyskawicznie ucichł, kiedy ujrzał wlepione w siebie spojrzenie Agi.

— Kochani, uwielbiam spędzać z wami wolny czas, czuję się wypoczęta i zrelaksowana — powiedziałam, moszcząc sobie miejsce na rozłożonym kocu. Nawet zapomniałam, że właśnie zaczęły się moje urodziny!

— Wstawaj, śpiochu, dojechaliśmy.

Byłam potwornie zmęczona. Nie otwierając oczu, wyszłam z samochodu, pokonałam trzy schodki prowadzące do wnętrza jakiegoś domku, znalazłam pierwsze lepsze łóżko i padłam. Ktoś się chyba jeszcze długo kręcił, trzaskały drzwi, szumiała woda pod prysznicem, ale już nic nie było w stanie mnie wybudzić. Nie miałam pojęcia, o której dojechaliśmy na miejsce i ile czasu spałam — to, że jestem wyspana, poczułam o szóstej nad ranem, kiedy przez okno wpadły na moje łóżko promienie słońca. Obeszłam na palcach cały domek, było w nim chyba z sześć pokoi, poupychanych na dwóch piętrach. Wszyscy jeszcze spali, Anka przekręcała się z boku na boku, głośno wzdychając przez sen. Nie chciałam ich budzić, więc wzięłam szybki prysznic i wychodząc, chwyciłam torbę ze sprzętem fotograficznym. Otworzyłam drzwi i stanęłam jak wryta. Kilkanaście metrów przede mną było morze. Trzy mewy dreptały po piasku, zostawiając za sobą poplątane ślady. Poza tym pustka jak okiem sięgnąć. Pusto i cicho. Trafiłam na sam koniec świata. Aż usiadłam z wrażenia na ostatnim schodku. Piasek powoli nagrzewał się od porannego słońca, na wodzie unosiło się stado zaspanych rybitw, mewy wreszcie zatrzymały się i zaczęły sobie czyścić pióra. Żadnego wiatru, spokojna tafla morza i piasek. To nie był koniec świata, to był raj. Doznałam wniebowzięcia. Plaża i morze do tej pory kojarzyły mi się z gromadą pijanych facetów, opalonymi na brąz dziewczątkami w za krótkich spódniczkach, zapachem smażonych kiełbasek i muzyką disco polo. Tutaj było zupełnie inaczej. Wyjęłam cicho aparat z torby i pstryknęłam zdjęcie mewom, co je oczywiście od razu wystraszyło. Wzbiły się z piskiem w powietrze, budząc przy tym rybitwy, które zaczęły się nerwowo rozglądać. Skoro już naruszyłam ten błogi spokój, równie dobrze mogę się przejść, zdecydowałam i ruszyłam brzegiem morza. Nasz domek był jedynym budynkiem stojącym na skraju plaży, poza nim ciągnął się już tylko las. Żadnych leżaków, namiotów, śladów po ogniskach, zużytych kondomów – jak Anka znalazła to miejsce? Klapki zostawiłam pod drzwiami, podwinęłam sobie spodnie do kolan i poszłam przed siebie. Woda była jeszcze zimna, mokry piasek przyjemnie chłodził stopy. Mogłabym tu spędzić całe życie, rozmarzyłam się na widok własnych śladów odciśniętych tuż przy brzegu. Co prawda, gdyby do moich śladów dodać jeszcze dwa, nieco większe, ale nie za bardzo, takie w miarę normalne, pięciopalczaste, bez platfusa, które by zbliżały się do moich, po czym zrównałyby się, następnie nieco poplątały, straciły wyraźne kontury, zupełnie jakby dwie osoby nagle stanęły i w przypływie namiętności rzuciły się na piasek, by... – byłoby zdecydowanie milej, ale nie zamierzałam marudzić. I tak było cudownie. Rozejrzałam się wokół, dawno już straciłam z oczu nasz domek, a skoro nikogo tu nie było, to dlaczego by nie skorzystać i nie wykąpać się o poranku w chłodnym morzu? Przecież to moje urodziny, idealny dzień do spełniania wszelkich zachcianek. Było pusto, ale i tak na wszelki wypadek wybrałam sobie kępkę krzaczastych drzewek, które rosły tuż przy brzegu. Zostawiłam tam ubrania i aparat i wbiegłam z impetem do morza. Jeszcze szybciej stamtąd wybiegłam, bo woda była tak lodowata jak ta pod prysznicem w mieszkaniu, w którym kiedyś zimowałam na Zabłociu. Myśl o tym, żeby na mokre skostniałe ciało włożyć z powrotem ciuchy, nie była zbyt kusząca. Położyłam się więc na piasku, próbując skupić na sobie jak najwięcej słonecznych promieni. Zamknęłam oczy, nade mną kołysała się palma, ja pod nią w hamaku, obok ciemnoskóry chłopiec z wielkim wachlarzem z piór trzymał na tacy szklankę schłodzonego martini. Kiedy spojrzałam na niego, musiałam zasłonić sobie oczy przed słońcem, przyglądałam mu się z wysiłkiem, ale rysy jego twarzy wciąż się rozmywały. Coś nie dawało mi spokoju. Wreszcie podniosłam się z hamaka i spojrzałam mu prosto w oczy. To był José.

– Mamo, mamo, a tam leży goły trup! – usłyszałam jak zza mgły.

– Przestań, Jacusiu, nie denerwuj mamusi – odezwała się dyszkancikiem kobieta. – Nie wolno zmyślać!

– Ale ja nie zmyślam, naprawdę.

A jeśli tam rzeczywiście leży jakiś trup? – pomyślałam zaniepokojona. Dzieci czasami trzeba słuchać. Zaraz, zaraz, jakie dzieci? Przecież na tym pustkowiu nie ma żadnych...

– No to sama zobacz – obrażonym tonem kategorycznie powiedział Jacuś.

– Aaaaa! – zawrzeszczało coś nad moich uchem. – Trup, rany boskie, topielec!!!

A jednak, wiedziałam, że to zbyt piękne, żeby mogło być prawdziwe. Nie ma już pustych plaż na tym świecie, wszędzie są matki z dziećmi. Podniosłam się na łokciach i posłałam Jacusiowi spojrzenie godne zmartwychwstałego topielca.

– Zdaję sobie sprawę z tego, że o tej porze dnia nie wyglądam najlepiej, ale czy doprawdy musi pani być aż tak obcesowa? – zapytałam z uprzejmym, choć chłodnym uśmiechem.

Kobieta wciąż miała otwarte usta jak do krzyku, ale nie wydobywał się z niej żaden głos. Wreszcie otarła ręką czoło, pokręciła z dezaprobatą głową i rzuciła synowi zniesmaczonym tonem:

– Jacusiu, idziemy stąd. Jak nie topielec, to zboczeniec, co za kraj! A mówiłam, żebyśmy pojechali do Egiptu... – Ostatnie słowa usłyszałam już z oddali. Spojrzałam za nimi. Za chłopcem ciągnął się jakiś niewyraźny kształt. Coś mi przypominał... Rzuciłam okiem na ciuchy ułożone w cieniu drzewek i w tej samej chwili uświadomiłam sobie dwie rzeczy: byłam całkowicie naga, a wśród moich ubrań brakowało biustonosza. Ten mały skurwiel zabrał mi stanik!

Wzburzyło mnie to do tego stopnia, że zrezygnowałam z myśli o powrocie do snu i José. Gdyby w tej chwili usłyszała mnie Anka, zapewne dostałabym niezły opiernicz. Na szczęście senne fantazje udaje mi się ochronić przed moją przyjaciółką i w pewnym sensie przed sobą. Zamknęłam już etap zwany José w moim świadomym życiu, ale cóż mogę poradzić na tę część podświadomości, która ożywa za każdym razem, kiedy kładę się spać? To właściwie całkiem przyjemna sfera życia, wystarczy zamknąć oczy i pokierować swoją wyobraźnią, przynajmniej do momentu kiedy trzeba wstać. Zawsze co prawda istnieje ryzyko pogrążenia się w koszmarach, ale niestety nie sposób tego kontrolować. Którejś nocy na przykład śnił mi się José – byliśmy sami w lesie, zapadał zmierzch i zaczynało być naprawdę romantycznie. Niestety, nagle z mgły wyłoniła się Gloria z podejrzanie długimi i zakrwawionymi paznokciami, którymi dźgała mnie, dopóki wreszcie się nie obudziłam i nie odkryłam, że Kastrat wpakował się do mojego łóżka i wbija mi w bok pazury. Wyrzuciłam go z pokoju, ale nie potrafiłam już wrócić do pierwszej części snu. Teraz to już nie miało żadnego sensu. Ubrałam się w to, co łaskawie zostawił mi Jacuś, i wróciłam do domu. Najwyższy czas na śniadanie.

– Najwyższy czas na śniadanie – powitała mnie w drzwiach Anka. – Gdzieś ty się podziewała?

– A tu i tam. – Machnęłam ręką, rezygnując z wszelkich prób wyjaśnienia im, gdzie i co robiłam. – Poszłam się przejść, tu jest zbyt pięknie, żeby tracić dzień w łóżku.

– Bez przesady. – Maniuś rozkosznie ziewnął – Z chęcią potraciłbym więcej czasu w łóżku. Byle nie sam. – Łypnął do mnie szelmowskim okiem i zniknął w łazience.

Wszyscy już wstali, więc mogłam wreszcie spokojnie obejrzeć sobie naszą siedzibę. Była zdecydowanie większa, niż się spodziewałam. W ogromnych pokojach było po pięć–sześć łóżek, na upartego zmieściłoby się tu ze czterdzieści osób. Na końcu korytarza tuż za łazienką odkryłam klapę w suficie. Nie mogłam nigdzie znaleźć drabiny, więc przytargałam ciężkie drewniane krzesło i podważyłam klapę. W powietrzu zamigotały drobinki kurzu, kichnęłam głośno i po chwili wahania weszłam na poddasze. Deski na podłodze trzeszczały niebezpiecznie, ale skoro już zdecydowałam się wejść, nie będę rezygnować. Na górze panował półmrok, niewiele było widać. Musiałam znaleźć jakieś okienko i wywietrzyć ten zapach zakurzonych staroci, zanim odkryję, że jestem alergiczką. Kiedy

208

odsunęłam sztywną od kurzu zasłonkę, która niemal rozsypała mi się w dłoni, słońce wpadło na strych i okazało się, że jest tu całkiem przyjemnie. Pełno starych wiklinowych koszy, szafek, potężnych szaf, a w kącie pod ścianą stało piękne łoże małżeńskie. Ciekawe, jak je tu wnieśli. Przecież klapa w podłodze była zbyt wąska, a nie dostrzegłam innego wejścia.

– Ada, ciągle gdzieś znikasz! – usłyszałam za sobą głos Anki, której głowa wyłaniała się spod podłogi. – Urodzinowe śniadanie na stole. Ależ tu brudno. – Rozejrzała się po poddaszu. – Trzeba będzie tu wpuścić Agę z jej manią porządku, we dwie świetnie sobie poradzą. A jeśli jeszcze pomoże im Michał... – Mrugnęła do mnie wesoło i zniknęła.

Przystanęłam na moment, zanim weszłam do kuchni. Słuch mnie nie mylił, szeptali coś o dzisiejszym dniu.

– Słuchajcie, na poddaszu jest znakomite miejsce na imprezę, gdyby jednak pogoda się zepsuła.

– Tu jest poddasze? Gospodarze nic o tym nie wspominali.

– Pewnie dlatego że nikt tam od trzydziestego dziewiątego nie sprzątał. Obawiam się, że jeśli tylko się zachmurzy, trzeba będzie tam nieco... ogarnąć – dodała po chwili namysłu Anka. – A, i ktoś musi się zająć Adą, żeby nie widziała przygotowań. To w końcu ma być niespodzianka.

Może chcą mnie utopić? – pomyślałam sceptycznie. To by dopiero była niespodzianka.

– Podobno gdzieś w okolicy jest kurort, możemy ją tam zabrać na kilka godzin.

A, kurort. Stąd ten diabelski synek z matką.

– Maniuś, nawet nie żartuj, to jest ciężkie, potrzebujemy tu facetów.

– A co z równouprawnieniem, o którym bezustannie rozmawiacie na tych feministycznych konferencjach? – Wojtuś najwyraźniej czuł się jeszcze urażony po wczorajszej scysji.

– Dziubasku, jakie równouprawnienie? Na głowę upadłeś? Do pięt nam nie dorastacie, a temu równouprawnienia się zachciewa. Chłopy są od dźwigania i naprawiania cieknących kranów, tylko do tego się nadajecie. – Aga jak zawsze wróciła do swojego ulubionego tematu, a Michałowi jakby podświadomie napięły się mięśnie na długich rękach.

Niczego już raczej się nie dowiem. Jak znam życie, to kolejna dyskusja o wyższości jednej płci nad drugą będzie trwała przez dobre kilka godzin. Nie ma nic bardziej zajmującego. Kiedy usiadłam przy stole, nikt nawet nie zauważył – zajęci byli kłóceniem się. Jajecznica była wyśmienita. Korzystając z ich nieuwagi, zjadłam niemal połowę z patelni, dolałam sobie kawy i w porę uchyliłam się przed lecącą łyżką, którą Aga rzuciła w Rafałka.

– Moi drodzy – krzyknęłam, wstając od stołu. – Zamierzam się teraz sama sobą zająć, to znaczy idę się poopalać. Wrócę za cztery godziny, gdybyście mnie szukali albo wręcz przeciwnie, dzwońcie na komórkę.

Marzena pomachała mi wesoło zza zajadle kłócących się właśnie Anki i Tomka, a ja poszłam po kostium i prosto na plażę.

ROZDZIAŁ DWUDZIESTY PIERWSZY
– RAJ NA ZIEMI

Tym razem, zanim rozłożyłam się na piasku, uważnie się rozejrzałam. Mając w pamięci „kurort" z gośćmi z piekła rodem, wolałam uniknąć tłumów. Na szczęście wyglądało na to, że poranni wczasowicze zabłąkali się tu przez przypadek, bo oprócz śladów mew na plaży było pusto. Najwidoczniej Jacuś nie podzielił się z kumplami informacją o gołych topielicach ani nie pokazał im swojego łupu, bo inaczej miałabym tu już sporą gromadę chłopców w każdym przedziale wiekowym. Zawsze miałam słabość do adorowania – mnie przez mężczyzn, rzecz jasna – ale teraz naprawdę ucieszyłam się z samotności. Rozłożyłam sobie koc, który zwinęłam z czyjegoś łóżka, nałożyłam na nos wielkie ciemne okulary i zasłoniłam sobie twarz słomianym kapeluszem. Po porannej drzemce na słońcu pojawiły mi się już urocze czerwone plamy na policzkach, więc wolałam nie pogarszać sprawy. Daleko mi do najpiękniejszejwświeciekobietyjakąkiedykolwiekktokolwiekwidział, ale co tam. Trzeba o siebie dbać, tym bardziej że nikt inny o mnie nie zadba. Było naprawdę błogo, ciepło, leniwie, morze szumiało, piasek przesypywał się między palcami. Czemu nie wzięłam ze sobą żadnej książki? Albo chociaż gazety... Ile oddałabym teraz za gazetę! Co za nudy. Przekręciłam się na brzuch, ale niewiele to pomogło. Jak okiem sięgnąć żadnych plażowiczów, na których można by zawiesić wzrok i pochichotać w duszy z anorektycznych dziewic. Żadnych gości z wielkimi brzuchami, w których cieniu chłodziłyby się puszki z piwem. Żadnych wysuszonych liści, zakrywających nosy na czerwonych od słońca twarzach. Nuda... Co ja mam tu robić przez następne cztery godziny?! Może się przejdę? Ale dokąd?! Tu nic nie ma, tylko piasek, woda i srające mewy! Po co ja właściwie wyjechałam z Krakowa? Wystarczyłoby pójść nad Wisłę i posłuchać krzyczących mew zajadle atakujących gołębie, posiedzieć chwilę na zielonej trawie, a potem skoczyć na piwko na Kazimierz. Piwo... Duże zimne piwo w zroszonym kuflu, lodowato zimnym... Każdy ma jakieś fantazje, a ja w dodatku mam urodziny i nie mogę spełnić najprostszego marzenia! Zastanówmy się, o czym powinnam pomyśleć tego wieczora, kiedy przyjaciele zapewne wjadą z tortem na tej drewnianej taczce, która stoi za domkiem? O piwie? Nie? Może o pracy, na przykład takiej, która sprawi mi choć odrobinę radości i pozwoli bez wahania wyjść wieczorem na piwo do knajpy. Źle! Wróć, żadnego piwa! No to na przykład o mężczyźnie, przystojnym, inteligentnym i inne bzdury w tym stylu, który padłby mi do stóp ze zgrzewką zimnego... Pst, nie o tym miałam myśleć. O rodzinie, ślicznych małych dzieciątkach, które wdrapywałyby mi się na kolana, wołając: „mamo, mamo, mogę trochę piwa?". Nie zniosę tego dłużej! Muszę się napić porządnie schłodzonego piwa! Jest zbyt gorąco, żeby myśleć o czymkolwiek innym. Przewróciłam się z powrotem na plecy i usłyszałam nad sobą chrząknięcie. Zamarłam. Może to mewa unosi się nade mną w powietrzu i chrząka? Och, proszę, żeby to była mewa! A może się przesłyszałam i to tylko wiatr, którego nie ma, wieje w gałęziach drzewa, które tu wcale nie stoi? Zmobilizowałam całą swoją odwagę i zabrałam z twarzy kapelusz. Nade mną stał jakiś człowiek z szerokim uśmiechem na ustach.

– Wszystkiego najlepszego w dniu urodzin, Ada – powiedział głosem José.

Boże, mam halucynacje! Dostałam udaru i teraz miesza mi się jawa ze snem, zaraz pewnie zobaczę stos puszek z piwem, co w sumie nie byłoby takie złe.

– Dobrze się czujesz?

No dobra, to chyba jednak nie są halucynacje, ale muszę się jakoś upewnić.

– José?

To nie był zbyt błyskotliwy pomysł na test, ale czy ja zawsze muszę być błyskotliwa? To męczące na dłuższą metę.

– Przepraszam, nie chciałem cię wystraszyć – powiedział, wciąż się uśmiechając, i usiadł obok mnie na piasku. Ubrany był tak, że powinno się zakazać wkładać facetom takie ciuchy. Podwinięte nogawki dżinsów odsłaniały niezwykle apetyczne łydki, a biała koszula była rozpięta od czwartego, nie, trzeciego guzika. Spod niej łypał na mnie seksowny pępek. W takim pępku można by się zagubić... Gdyby tak tylko ktoś pozwolił mi... – Dopiero co przyjechaliśmy, a ja stwierdziłem, że muszę trochę odetchnąć morskim powietrzem, przemyśleć to i owo, i nagle zobaczyłem kogoś śpiącego na kocu. Od razu pomyślałem, że to ty, dlatego...

– Nie, nie ma sprawy. Trochę mnie zaskoczyłeś, byłam pewna, że jestem tu zupełnie sama, a ciebie to już w ogóle się tu nie spodziewałam. – Gadałam jak najęta, intensywnie zastanawiając się, czy ogoliłam tego ranka nogi. Przecież nie sprawdzę teraz! Cholera jasna, a miałam sobie w końcu kupić depilator, raz na miesiąc wyłabym z bólu, ale przynajmniej uniknęłabym takich sytuacji jak ta. A zresztą co on miał na myśli, mówiąc: „przemyśleć to i owo"? Czyżby rozstał się z Glorią? Nie żebym na to liczyła, poza tym już zamknęłam ten etap w swoim życiu.

– Nie dziwię się, od kiedy wyszedłem z domu, nikogo nie spotkałem. Jesteś pierwszą osobą, którą tu widzę. Och – przeciągnął się rozkosznie – tu jest wspaniale! Cicho, spokojnie, tylko morze i piasek... Raj.

– Prawda? Bardzo się cieszę, że Anka znalazła to miejsce. I pomyśleć, że mogłabym teraz spędzać urodziny w tym zatłoczonym, śmierdzącym Krakowie... Koszmar. – Nawet sama teraz w to uwierzyłam. Zazwyczaj nie zniżam się do przyznawania racji tej owłosionej płci, właściwie to żadnej płci, ale nieczęsto zdarza mi się leżeć na piasku, słuchać szumu fal i wpatrywać się bezkarnie w jednego z najseksowniejszych mężczyzn, który siedzi obok i mruży oczy przed słońcem.

– Ale, nie da się ukryć, byłoby dokąd pójść na piwo – szepnął José z nutką rozmarzenia w głosie.

No proszę, José też człowiek. Dobrze wiedzieć.

– Teraz jesteśmy kwita – powiedział nagle głośno. – Ostatnim razem to ty mnie obudziłaś, kiedy drzemałem pod kopcem. Chyba nawet potknęłaś się o mnie, o ile pamiętam.

– Wcale nie jesteśmy, bo ja w przeciwieństwie do ciebie, wcale nie spałam. Właściwie to marzyłam właśnie o dużym zimnym piwie, kiedy mnie przestraszyłeś, niszcząc moje fantazje.

– Bardzo przepraszam, naprawdę! Może się zrehabilituję i zaproszę cię na piwo?

– Tutaj? Chyba żartujesz? Niby gdzie? – Byłam dość sceptyczna, ale sama myśl o chłodnym...

José roześmiał się tylko, po czym sięgnął po swój plecak. Ze środka wyjął białą torbę izolacyjną, a z niej dwie zroszone puszki. Trzepnął torbę, złożył na pół i przewiesił przez ramię.

– Szanowna pani pozwoli, że polecę trunek dnia: wyśmienite piwo, podane w odpowiedniej temperaturze, o niezwykle ożywczym smaku. Proszę zwrócić uwagę na te delikatne nuty aromatu, które natychmiast pobudzą pani zmysły, jak tylko zrobię ot, tak. – I otworzył puszkę.

Teraz byłam w raju! A przynajmniej w tej jego sekcji dla spragnionych dobrego towarzystwa alkoholików.

– A myślałam, że wyszedłeś, żeby pomyśleć o tym i owym...

– Oczywiście! Jedno drugiemu wszak nie przeczy. – Roześmiał się w taki sposób, że miałam ochotę zdmuchnąć mu z warg to ziarenko piasku, które właśnie mu się przykleiło. Dziewczyno, pohamuj się!!!

– Marzena właśnie opowiadała mi o zdjęciach, które robiłaś wtedy pod kopcem twojemu eks-szefowi. Nie wiedziałem, że śledzisz go od dłuższego czasu i że wtedy na Bonarce pojawiłaś się, żeby go wreszcie przyłapać. Tak naprawdę to ja... Jak na mnie wpadłaś... i wtedy... Bo widzisz, pomyślałem wtedy, że...

Zmienił mu się nagle głos, stał się taki podejrzanie miękki, że szybko spojrzałam mu prosto w oczy. Miał spojrzenie zmoczonego cocker-spaniela. O nie, mój panie, żadnych gierek w tym stylu!

– A co u Glorii? – zapytałam błyskawicznie. To żenujące, że czasami trzeba przypominać facetom, że są szczęśliwie zakochani w innej.

– Yyy, znakomicie – odparł wyraźnie zbity z tropu.

– Zresztą będziesz mogła sama ją o to zapytać, bo przyjechaliśmy tu razem. Zależało mi na tym, bo bardzo chciałem przedstawić ją...

– Ewka?! – Nie wierzyłam własnym oczom. To naprawdę była moja siostra! Tutaj?!

Szli objęci z Adamem brzegiem morza, a kiedy wrzasnęłam z niedowierzaniem w głosie, pomachali mi wesoło i ruszyli w naszą stronę. Zerwałam się z koca i pobiegłam im naprzeciw. Rychło w czas, pomyślałam, uśmiechając się do nich, zanim José zdążył mi przedstawić swoje plany matrymonialne zaraz po tym, jak robił do mnie słodkie oczy. Polak czy Hiszpan, co za różnica! Wszyscy faceci to podle... No, może z wyjątkiem mojego szwagra. Ale, to niepojęte!, ten gość, który obejmował Ewkę, a teraz odwrócił się do mnie twarzą, to wcale nie był Adam... O rany...

– Najlepszego! – Siostra niemal zmiażdżyła mnie w niedźwiedzim uścisku, nie zważając na mój zaskoczony wyraz twarzy, który na próżno starałam się ukryć. – O nic nie pytaj – szeptała mi prosto do ucha – Anka zaprosiła mnie i Adama na twoje urodziny, ale w ostatniej chwili sytuacja uległa drobnej zmianie i przyjechałam z Kondziem.

Kim, do cholery, jest Kondzio?!

– Konrad Romski, jestem zaszczycony, że mogę poznać piękną siostrę Ewy. – Lekko łysiejący na czubku głowy gość w rozpiętej koszuli ukłonił się, nie spuszczając przy tym wzroku z Ewki. Moja siostra zaserwowała mi tak niewinny uśmiech, że zabrakło mi słów. Czyżby to przez tego właśnie faceta tak radykalnie zmieniła swój wizerunek? Teraz miała na sobie zielone bojówki i czerwoną opiętą koszulkę na ramiączkach, nie da się ukryć, że wyglądała szałowo. Dobrze, że na tej plaży nie ma żadnych facetów, bo znów wpadłabym w kompleksy, pomyślałam, patrząc na nią z rozczuleniem.

Zaczęła trajkotać, jak to Anka zorganizowała ten urodzinowy weekend i wciągnęła ją (tylko ją? a to dziwne) na listę gości, i jak bardzo się ucieszyła, że nie dość, że spędzi ze mną moje urodziny, to jeszcze będzie mogła pobyć choć przez chwilę daleko od domu. Dzieciaki zostawiła z nieszczęśliwą z tego powodu babką, a sama zdecydowała zabrać Kondzia i wyjechać na tydzień z Krakowa.

– Wiesz, poznaliśmy się w salonie kosmetycznym tego dnia, kiedy zostałaś ze Stasiem. – Rzuciła mi ostrzegawcze spojrzenie, które groziło mi gwałtowną śmiercią, jeśli wspomnę słowem o Adamie.

– A, wtedy! – Pokiwałam ze zrozumieniem głową, modląc się w duchu, żeby choć na chwilę zostać z Ewką sam na sam. Może mi wszystko wyjaśni? – Ale co wy tu będziecie robić przez cały tydzień? Po kwadransie robi się nudno...

– Na pewno nie będziemy się nudzić, prawda, kochanie? – O rany! Po spojrzeniu, jakie Kondzio właśnie jej posłał, powinna momentalnie spalić się w płomieniu żądzy. Nie zamierzam słuchać o tym, co będą robić na tym pustkowiu tylko we dwójkę! Na Boga, to przecież moja zamężna siostra!

Dłużej z nimi nie wytrzymam! Moja rodzina jest nienormalna, to akurat zawsze wiedziałam, ale teraz to już przesada.

José wstał i otrzepał się z piasku, po czym podszedł do nas z wyciągniętą dłonią. Zanim zdążyłam ich sobie przedstawić, wypalił od razu do Ewki:

– Ty musisz być siostrą Ady, jesteście do siebie zbyt podobne. – Za co byłam mu zresztą szalenie wdzięczna, bo odkąd moja siostra tak drastycznie zmieniła swój wizerunek, nikt nie chciał wierzyć, że pochodzimy z tej samej rodziny. Ewka za to tak zareagowała na dźwięk jego imienia, że miałam ochotę ją zadusić.

– José? Bardzo dużo o tobie słyszałam od... – na szczęście spojrzała na mnie, zanim dokończyła zdanie, bo kopanie jej w kostkę raczej nie wchodziło w tej sytuacji w grę – ... Anki – dodała szybko.

– Cieszę się, że o nas pamiętała. Zadzwoniła z wieścią o weekendzie kilka dni temu, a właściwie kilka nocy temu, bo telefon od niej odebrałem na imprezie.

Teraz przynajmniej wiem, kto do ciebie dzwonił, kiedy siedzieliśmy przed Łubu na krawężniku, pomyślałam, przyglądając mu się uważnie. Zachowywał się, jakby znał moją siostrę od wieków, był przy niej znacznie bardziej naturalny niż przy mnie. Świetnie się dogadują, owszem, tylko co to właściwie zmienia?

– Przyjechałeś z Glorią? – zapytała go z dziwnym uśmieszkiem.

– Jasne.

– Bardzo chciałabym ją poznać. – Hola! Co niby miało znaczyć to rozbawione spojrzenie, które mi posłała? Moja siostra w roli krwawej mścicielki? Będzie się napawać moją klęską? Przykro mi, kochana, za późno na to. Ten etap mam już za sobą.

Porozmawialiśmy jeszcze chwilę o okolicy, a kiedy Kondzio zaproponował Ewce spacer, byłam na tyle miłosierna, że ostrzegłam ich przed wrednym Jacusiem i innymi gośćmi z kurortu. Znów zostaliśmy sami z José i z piwem, rzecz jasna. Tylko że tym razem rozmowa się nam nie kleiła. Byłam chyba zbyt oszołomiona widokiem mojej siostry z jakimś łysiejącym gościem u boku, i to w chwili kiedy wszystko w jej małżeństwie miało się na powrót ułożyć. Po co wysłałam ją do salonu kosmetycznego?! Chyba nie każdej klientce dają tam Kondzia w pakiecie promocyjnym? José wiercił się na moim ręczniku, a ja zaczynałam żałować, że nie mamy łopatek i wiaderek – ludzie jakoś łatwiej się dogadują na etapie pożyczania sobie zabawek w piaskownicy. I nie wpatrują się w siebie ukradkiem, kiedy myślą, że drugie nie widzi, nie wspominając już o tym, że nie reagują tak jak ja na widok rozebranego już do kąpielówek José. Kiedy odwróciłam się na chwilę, sapnął, że przeraźliwie tu gorąco, i szybko zrzucił ciuchy. Boże, co za widok...

– Nie ogoliłaś sobie nóg – zauważył, kiedy sięgając po puszkę, niechcący musnął moją łydkę.

– A ty twarzy – odparowałam, dotykając palcami jego policzka. Z tego wszystkiego nawet nie zorientowałam się, że j e d n a k nie ogoliłam rano nóg. Dziwnym trafem umknęło to mej uwadze. – Ale specjalnie mi to nie przeszkadza.

– A czy ja powiedziałem, że mi przeszkadzają twoje nogi? To znaczy w pewien sposób przeszkadzają, bo nie mogę się na niczym innym skupić, ale co do golenia, to przyznam, że lepiej by było, gdyby w łóżku człowieka nic nie kłuło. – Stopniowo zniżał głos, a ostatnie słowa wypowiedział tak cicho, że ledwie go usłyszałam.

– Wy, mężczyźni, wszyscy jesteście tacy sami. Chcielibyście, żeby kobiety były zawsze idealne i wymuskane, ale sami nie macie oporów, żeby włazić do łóżka z brudnymi stopami i nieumytymi zębami – mruknęłam, usilnie po- wstrzymując się przed dotknięciem jego drugiego po- liczka.

– Coś ty, wszystko zależy od tego, do jakiego łóżka wchodzimy i kto tam na nas czeka – wyszeptał, przysu- wając się bliżej mojej lewej nogi.

– No właśnie, „czeka". Zawsze wyobrażacie sobie, że kobieta musi na was czekać, bzdura! O nią trzeba zawsze zabiegać, walczyć do ostatniej... – No i nie wytrzymałam. Dotknęłam jego twarzy.

– ... kropli krwi. – Te słowa José właściwie bardziej po- czułam, niż usłyszałam. Na swoich wargach.

Boże, jak on całuje, zdążyłam pomyśleć, zanim usły- szałam mój telefon. Odskoczyliśmy od siebie gwałtownie, a ja chwyciłam komórkę. Na wyświetlaczu zamiast nume- ru dzwoniącego wyświetliła się informacja, że mam słabą baterię. Och, i to jak słabą, chyba zaraz zemdleję...

– Tak?

– Ada, ty kretynko!!! – To była Anka, wszędzie ją roz- poznam po tym czułym sposobie zwracania się do mnie.

– Przychodź tu zaraz! Jak mogłaś pomyśleć, że... – Głos się urwał, a mój telefon pogrążył się w niebycie. Fanta- stycznie!

W tej samej chwili zauważyłam Rafałka, który szedł w naszą stronę. José tylko się do mnie uśmiechnął:

– Chyba już czas na nas.

Cztery godziny upłynęły błyskawicznie, nawet nie za- uważyłam kiedy. Chyba się zawiesiłam na ostatnich minu- tach, bo ostatnia rzecz, której pragnęłam, to impreza pełna ludzi. Wolałabym ten czas spędzić z José. I to by było na tyle, jeśli chodzi o mocne postanowienie poprawy.

ROZDZIAŁ DWUDZIESTY DRUGI,
W KTÓRYM WSZYSTKO ZMIERZA KU KOŃCOWI

W domu spotkaliśmy tylko Agę, która na widok Rafałka i José rzuciła tylko:

– Jesteście potrzebni, wiecie gdzie, do mnie zwracając się znacznie łagodniejszym głosem: – Za jakieś dwadzieścia minut oddam ci łazienkę. Tyle czasu potrzebuję na zmycie z siebie tego całego syfu. Wysprzątałam to piekielne poddasze na wszelki wypadek, ale pogoda jest idealna – zmarszczyła się gniewnie – więc jak już się doprowadzisz do stanu używalności, zrobisz sobie boski makijaż i – spojrzała w dół – ogolisz nogi, przyjdź na plażę, ale nie tam gdzie już byłaś. Musisz skręcić w prawo i iść z dziesięć minut, aż dojdziesz do skał. Tam będziemy na ciebie czekać.

Oszaleli na punkcie golenia nóg! To w końcu moje nogi, nie ich, więc po co się wtrącają? Na moim łóżku leżał prezent. Nareszcie dostałam coś na urodziny! Z niecierpliwością godną mojego najmłodszego siostrzeńca zdarłam wstążkę i rozerwałam papier – w środku był... preparat odstraszający komary z przyklejoną karteczką od Anki: „Przyda ci się dziś wieczorem". Jej praktyczna strona zabija w niej cały romantyzm, jeśli w ogóle kiedykolwiek go miała. Wyrzuciłam wszystko z plecaka, żeby wybrać kreację stosowną na dzisiejszą imprezę. Po długim namyśle zdecydowałam się na przetarte na kolanach sztruksy i koszulę z długim rękawem. Może i niezbyt oryginalnie, ale skoro mam zostać pożarta żywcem, to nie będę im tego ułatwiać! Po dwudziestu minutach zapukałam ostrożnie do łazienki, ale Aga zdążyła się już stamtąd wynieść, więc z przyjemnością spłukałam z siebie piasek i, wmawiając sobie, że wstępuję w delikatną mgiełkę zapachu najsubtelniejszych perfum, jakie kiedykolwiek wymyślił człowiek, spsikałam się preparatem na komary. Miałam tylko nadzieję, że ten środek dla równowagi nie przyciąga innych robali. Od śniadania nie miałam nic w ustach, a na plaży pewnie będziemy pić, więc uznałam, że nic się nie stanie, jak poczekają na mnie trochę dłużej. Może niewielki omlet? Już poczułam ten błogi zapach... Niestety, w lodówce było wszystko oprócz jajek. Zrobiłam więc sobie bardzo niezdrową kanapkę z tym, co znalazłam, po bliższym przyjrzeniu się rezygnując z dwóch składników, które w niczym nie przypominały jedzenia, i siadając przy stole, zauważyłam kolejną kartkę od Anki. „Nie jedz, najesz się wieczorem". Ona jest bez serca!

Zajrzałam jeszcze do wszystkich pokoi z nadzieją, że znajdę gdzieś José. Chciałam z nim porozmawiać o tym, co zdarzyło się na plaży, zanim spotkam Glorię. To nie było *fair* i nie mogło się powtórzyć. Głowę można stracić tylko na chwilę i zazwyczaj tylko raz. Nic z tego jednak nie wyszło, zdaje się, że wszyscy byli już w umówionym miejscu. Trudno, może złapię go gdzieś nad morzem i uda się nam dogadać. Za domem, ku mojemu zdziwieniu, stało kilkanaście samochodów. Anka jest świetną organizatorką i cudotwórczynią, ale jakim cudem aż do tego stopnia rozmnożyła moich znajomych? W dodatku kilka aut miało pomorską rejestrację, a z tego, co wiedziałam, wynikało, że nie mam wielu przyjaciół w tych okolicach, właściwie to żadnego. Ruszyłam powoli w stronę skał. Słońce jeszcze nie zdążyło się schować, więc było w miarę jasno, przynajmniej na tyle, że ciężko byłoby się tu zgubić. Dotarłam do skał, ale nikogo tam nie było. Słyszałam głosy i śmiechy, rozpoznałam nawet charakterystyczny śmiech Anki, którego używa zazwyczaj, kiedy kokietuje kobietę – tylko gdzie oni są? Podreptałam chwilę pod skałami, zanim domyśliłam się, że w głębi jest przejście na drugą stronę. Zapewne znajdowała się tam zaciszna, osłonięta od wiatru zatoczka, idealna do pijackiej urodzinowej rozróby i grilla. Owszem, to była zatoczka, ale to, co tam ujrzałam, przeszło moje najśmielsze oczekiwania. Wszędzie stały oparte o kamienie albo drzewa ogromne antyramy ze zdjęciami. Z m o i m i zdjęciami, które robiłam w zeszłym miesiącu starym dobrym zenitem. Zachodzące słońce nadawało im pomarańczową barwę, podobnie jak i ludziom, którzy przyglądali się zdjęciom. Z boku Tomek rozpalał pochodnie, które po zmierzchu miały oświetlać całą zatoczkę. Nie mogłam w to uwierzyć. Anka zrobiła mi wystawę na plaży! To niewiarygodne, spełniła jedno z moich największych marzeń. Podchodziłam do każdego zdjęcia, które powiększone do niesamowitych rozmiarów, nabierało zupełnie innego znaczenia, i przypominałam sobie chwile z dzieciakami i mamą na spacerze nad Wisłą, ujęcia walących się kamienic i pustostanów na Kazimierzu – przecież wypstrykałam wtedy ze dwa filmy, dokładnie te, o których odebranie poprosiłam Ankę... A to bestia! Z kilku fotek zrobiła nawet kolaż: z prawego górnego rogu patrzyła prosto na mnie twarz małego Stasia. Zdaje się, że chwilę później dzieciaki obsypały swoją babcię świeżo skoszoną trawą.

– Znakomite ujęcia – usłyszałam nagle obok siebie. Spojrzałam na gościa, który stał z notesikiem w ręku i coś namiętnie notował. – Nareszcie ktoś odważył się pokazać podbrzusze rzeczywistości, coś, czego wszyscy dotykamy, ale nikt z nas nie zdaje sobie sprawy z wagi tego doświadczenia. Nie zna pani przypadkiem autorki? Słyszałem, że miała się zjawić – zwrócił się znów do mnie.

Byłam tak zszokowana, że nie mogłam wydusić z siebie ani jednego słowa. Pokręciłam tylko przecząco głową i szybko uciekłam. Niezbyt daleko, bo stanęłam jak wryta przed kolosalnym Kastratem, który przyglądał mi się wzgardliwie z krzesła. Nawet nie pamiętałam, że zrobiłam mu to zdjęcie.

– Dlaczego tu nie ma cen? – oburzała się jakaś niska i przysadzista kobietka w fioletowej garsonce. W ręku trzymała srebrne sandałki, którymi wymachiwała przed nosem niższego od niej mężczyzny. – Misiu, dowiedz się, ile to kosztuje, muszę to mieć w swoim salonie, m u s z ę.

Co tu się dzieje? Przecież to są tylko zwyczajne zdjęcia, które pstrykałam dla zabawy, a ci ludzie zachowują się jakby... Muszę się napić. I to natychmiast.

– Najlepszego! – Przy stoliku z alkoholem, a jakżeby inaczej, czekała już na mnie Anka z przygotowanym martini. – Jak ci się podoba prezent urodzinowy?

– Trochę śmierdzi, ale może być. – Wzruszyłam ramionami.

– Ada, nie mówię o offie! – syknęła, ale już nie potrafiłam powstrzymać śmiechu i prawie oblałam ją moim martini, kiedy uścisnęłam moją cudowną, niepowtarzalną przyjaciółkę.

– Zwykłe „dziękuję" nie wystarczy, więc nawet nie będę się ośmieszać.

– I słusznie, bo już dałaś, kochana, plamę. Cholera, dowiedziała się o tym incydencie z José. I jak ja się jej teraz wytłumaczę?

– Jesteś skończoną idiotką!

– Yyy, nie powinnaś być przypadkiem dla mnie miła, przecież mam urodziny? – Wyszczerzyłam się do niej z nadzieją, że jednak mi odpuści.

– Lepiej znajdź od razu José i wytłumacz mu, że...

– Anka! Jesteś pilnie potrzebna przy zdjęciu z kotem – wysapał Maniuś, który wyrósł przy nas jak spod ziemi. – Jakaś kobieta uparła się, że musi je kupić, a ja powiedziałem wszystkim, że jesteś menedżerem naszej gwiazdy.

– Lecę! – I już jej nie było. Przynajmniej upiekła mi się reprymenda.

W zamian dostałam pełny kieliszek od Marzeny, która wzniosła toast za naszą rozwijającą się firmę, przy okazji wspominając poranną rozmowę z José.

– Właśnie, gdzieś go tu przed chwilą widziałam. Zdaje się, że był akurat bez Glorii – posłała mi znaczący uśmieszek – za to z szalenie przystojnym młodzieńcem o mile brzmiącym imieniu Pau. Coś mi mówi, że nie będę się tu nudzić. Coś mi mówi, że tam stoi Pau. – I rozpłynęła się tak szybko, jak się pojawiła. Maniuś tylko pokiwał głową, westchnął i mruknął coś o hetero, którzy myślą tylko o jednym.

– Najlepszego, Ada! Chodź no tu do mnie, niech cię uściskam. – Na moment zniknęłam w jego ramionach, a kiedy mnie wreszcie wypuścił, mrugnął do mnie okiem i wyszeptał: – To ja spadam.

Obejrzałam się. Za mną stał olbrzymi bukiet kwiatów, zza którego wyłaniała się twarz José.

– *Felicidades* – powiedział niemal bezgłośnie.

Gracias, chciałam podziękować, ale nie zdążyłam, bo José zrobił coś, czego nie powinien był robić, coś, o czym myślałam intensywnie od dobrej godziny, coś, czego stanowczo nie powinna widzieć Gloria. Pocałował mnie, i to nie w policzek. Odsunęłam się od niego, dopiero kiedy poczułam, że uginają się pode mną kolana.

– A co z Glorią? – zapytałam go wreszcie wprost. Chyba uświadomiłam sobie, że jestem już za duża na gierki z niedopowiedzeniami i uwodzeniem zajętych facetów. Najwyraźniej się starzeję, czyżby to była odpowiedzialność? Albo godność osobista? Ale czy ją aby na pewno nabywa się z wiekiem?

– Nie rozumiem. – Spojrzał na mnie zdziwiony. – Co ma do tego moja siostra?

– Co??? – Zdębiałam. Jego siostra?! Przecież...! Nie, to niemożliwe!

– Zaraz, nie myślałaś chyba, że Gloria jest moją... No coś ty?! Przecież wszyscy wiedzą, że to moja siostra. A nawet gdyby nią nie była – spojrzał na mnie uważnie i nagle ściszył głos – to i tak byłoby to bez znaczenia.

Zakręciło mi się w głowie i poczułam, że muszę usiąść. Przez tyle czasu dawałam sobie po łapach, myśląc, że José jest zakochany w innej kobiecie, a ona jest jego...

– Siostrą? Gloria jest twoją siostrą? – powtarzałam pół-
głosem, nie mogąc w to uwierzyć. – José, czy ty zdajesz sobie sprawę z tego, co mi zrobiłeś, mówiąc na początku naszej znajomości, że łączy cię z nią coś innego niż tylko miłość braterska?

– Nie rozumiem, co to znaczy: miłość braterska? – Miał
lekko zdezorientowaną minę. Cha, a jednak jest coś w języku polskim, czego nie wiedział!

– Mniejsza z tym, potem ci wytłumaczę. Pamiętasz tę
rozmowę, którą odbyliśmy u mnie podczas układania książek pod ścianą? Przecież wtedy właśnie powiedziałeś mi,
że jesteście z Glorią razem.

– Skądże – żachnął się. – Powiedziałem, że razem
z Glorią kupiliśmy lokal na Józefa.

– Co takiego?! Kupiliście mój lokal? – wybuchłam zdenerwowana. – Niczego takiego mi nie powiedziałeś!

– Cały czas myślałem, że zachowujesz się wobec mnie
z rezerwą, bo nie możesz wybaczyć mi tego, że jednak nam
udało się kupić to miejsce, ale ty..

– ... myślałam, że jesteś nieuczciwym skurwielem, który od czasu do czasu ma chęć zdradzić najpiękniejszą kobietę, jaką kiedykolwiek widziałam, i to zdradzić właśnie ze mną. A mnie ta rola nie interesowała, no, przynajmniej musiałam nad tym popracować, żeby mnie
nie interesowała. – Ostatnie słowa zachowałam już tylko dla siebie. Przecież nie muszę mu o wszystkim
mówić.

– Ada, jesteś najbardziej skomplikowaną kobietą, jaką
poznałem w swoim życiu.

– *Oh, muchas gracias.*

– *De nada, de nada.*

No pewnie że nie ma za co! Gdyby powiedział mi, że jestem najpiękniejszą, najmądrzejszą, najwspanialszą – to rozumiem, ale najbardziej skomplikowaną? Jakbym tego sama nie wiedziała!

– José?

– Hm? – odparł, przysuwając się bliżej mnie.

– Gdybyś powiedział mi o tym wszystkim wcześniej, uniknęlibyśmy tego całego zamieszania. – Położyłam mu rękę na dłoni. Była gorąca. Jak zresztą i moja.

– A jak myślisz, dlaczego czatowałem na ciebie pod Pauzą? Jeszcze żadna kobieta nie potraktowała mnie jak ty podczas tamtego nieszczęśliwego wypadku.

– Zniszczenie moich butów nazywasz nieszczęśliwym wypadkiem?! Cóż...

– A potem godzinami spacerowałem po Kazimierzu, licząc na to, że wreszcie „przypadkiem" na ciebie wpadnę. Kiedyś Anka w rozmowie wspomniała, że bywasz często na Krzemionkach, więc zacząłem tam przychodzić o różnych porach dniach. Za szóstym albo siódmym razem pomyślałem wreszcie o tym, żeby zabrać z sobą termos z kawą i właśnie wtedy...

– Wpadłam na ciebie. Naprawdę wtedy spałeś czy to też tylko część „przypadku"?

– Spałem – uśmiechnął się rozbrajająco – i śniłem o tobie.

– Mam nadzieję, że to były niegrzeczne sny – wyszeptałam mu do ucha. – Wiesz co, chyba nie powinnam tego robić, nigdy jeszcze nie powiedziałam tego żadnemu mężczyźnie, ale tym razem może spróbuję. – Wymierzyłam w niego żartobliwie palec wskazujący, który José zaczął całować. – Taak, co to ja chciałam powiedzieć.

Yyy, przestań, nie mogę się skupić! – Wyszarpnęłam mu swoją dłoń, bo z palca przerzucił się na całowanie mojej ręki.

– Może ci pomogę? – zaoferował się José i pocałował mnie w lewy policzek. – Lepiej? Przypomniało ci się?

– Nie bardzo, ale coś mi zaczyna świtać...

– A teraz? – Pocałował prawy policzek i czoło.

– Mam jakby na końcu języka, ale wciąż nie mogę...

Oczywiście że nie mogłam tego wypowiedzieć, wargi miałam już zajęte czym innym. Zdaje się, że w tamtej chwili uświadomiliśmy sobie oboje, jak wiele czasu straciliśmy w tej całej plątaninie niedopowiedzeń i półprawd, bo zaczęliśmy nadrabiać. Ach, i to jak! Kiedy znów złapałam kontakt z rzeczywistością, a stało się to tylko dlatego, że José oderwał się ode mnie i udał w poszukiwaniu czegoś do picia, znów usłyszałam ten specyficzny śmiech Anki. Rozejrzałam się w poszukiwaniu szczęśliwej kobiety, dla której moja przyjaciółka śmieje się w ten sposób. Znalazłam Ankę pod zdjęciem z moją mamą, a obok, właściwie tuż przy niej, stała Gloria i nagle wszystkie elementy zaczęły do siebie pasować.

– Dlatego właśnie zależało mi na tym, żeby Gloria poznała Anię. Tyle jej o niej opowiadałem, że od miesiąca powtarzała mi, że muszę je sobie przedstawić. – José niespodziewanie wrócił z butelką i dwiema lampkami. Postawił je na kamieniu, objął mnie od tyłu i zaczął opowiadać o tym, jak wiele razy planował spotkanie dziewczyn w Łubu, ale dziwnym trafem zawsze się rozmijały. Poznały się dopiero dziś i wyglądało na to, że chyba i one nadrabiały zaległości. Pociągnęłam José za sobą i podeszliśmy do nich. Anka na nasz widok uśmiechnęła się szeroko i mruknęła coś o szczęśliwych gołąbeczkach, po czym nagle, jakby sobie dopiero przypomniała, wykrzyknęła:

– Ada, twój wernisaż trwa dopiero od dwóch godzin, a już udało mi się sprzedać dziesięć fotografii! Gratulacje! – I mocno mnie objęła, szepcząc przy tym do ucha: – Widzę, że wyjaśniłaś wszystko José? Ale z ciebie jednak skończona kretynka! Żeby się nie zorientować, że Gloria jest lesbijką, trzeba być totalnym idiotą.

– Ale nie aż takim, który nie zauważyłby, że przypadłyście sobie do gustu, co? – odgryzłam się jej szeptem.

– Coś mi się wydaje, że zanim ten dzień się skończy, zakocham się na amen. Podobnie zresztą jak twoja siostra. Widziałaś tego gościa, z którym przyjechała? – Spojrzała na mnie, krzywiąc się niemiłosiernie. – Przecież on łysieje! Sądziłam, że między nią a Adamem wszystko wróciło do normy. Skoro poszedł na terapię do Moniki, to znaczy, że naprawdę mu zależy na żonie.

– Ale jej chyba przestało zależeć – powiedziałam cicho, zdaje się, że bardziej do siebie niż do Anki.

Zauważyłam Ewkę pod skałą. Kondzio może i wyglądał nieco śmiesznie, ale kiedy podawał jej lampkę wina, z której wychylała się dzika róża, pomyślałam sobie, że czasami zamiast terapii wystarczyłby jeden zwykły kwiatek i odrobina czasu. Cóż, ciekawa jestem, co zrobi moja siostra, kiedy już wróci do Krakowa. Ułoży sobie życie bez Adama czy pozwoli mu wrócić? I pomyśleć, że gdybym zamiast śledzenia szwagra, poświęciła więcej uwagi Ewce i nie wysłała jej do tego salonu kosmetycznego... Może teraz byliby tu razem. A zresztą, jest dużą dziewczynką, niech sama decyduje o swoim życiu.

Następnego ranka dowiedziałam się od Anki, że śmieszny gość od podbrzusza rzeczywistości z notesikiem w ręku był z zamiłowania fotografem, a z wykształcenia dziennikarzem i że zaprosiła go ze Szczecina na tę wystawę ponad tydzień temu. Kiedy rano José włączył swój laptop i zaczęliśmy myszkować po Internecie, znalazłam sześć różnych artykułów, które omawiały nietypowy wernisaż, w tym największy i najbardziej entuzjastyczny właśnie tego dziennikarza. Wszędzie podany był numer telefonu Anki, „menedżera unikającego rozgłosu artysty". Zobaczyłam swoje fotki na różnych witrynach internetowych pod wielkim nagłówkiem, którego – gdybym była skromną istotą – nie przytaczałabym w tym miejscu, ale że nią nie jestem: NARODZINY NOWEJ GWIAZDY. No cóż, przez grzeczność nie zaprzeczałam. Ale zanim przeczytaliśmy rankiem te artykuły, zanim dowiedziałam się, że w ciągu kilku godzin informacja o wystawie na plaży obiegła cały kraj, zanim znalazłam w swojej skrzynce oferty kupna i propozycje wernisaży, zanim zorientowałam się, że zarobiłam tyle, że stać mnie będzie na piwo przez następnych dziesięć lat, zanim w ogóle nastał ranek... Poszliśmy z José do domu, kiedy udało mi się porozmawiać ze znajomymi, których dostrzegłam, dopiero gdy ochłonęłam po tych niespodziewanych wydarzeniach. Chcieliśmy spędzić trochę czasu sami, więc od razu przemknęliśmy się do mojego pokoju – niestety, był już zajęty przez Ankę i Glorię. Ten, który zajął rano José z siostrą, też już był okupowany: Ewa z Kondziem zachowywali się na tyle głośno, że poczułam się nieprzyzwoicie, stojąc przez chwilę pod ich drzwiami. Podobnie było w czterech pozostałych pokojach – w jednym Maniuś z Wojtkiem, w drugim Rafał i Tomek, w trzecim – nie wiem, nie zaglądałam, a w ostatnim, sądząc po butach porzuconych przed drzwiami, Marzena z Pau. *Love is everywhere*, tylko że dla nas nie było już miejsca. Pozostawało nam jeszcze poddasze. Co prawda Aga, po tym, co z nim dziś zrobiła, miała pełne prawo do zaanektowania go, ale nadzieja podszeptywała mi, że właśnie teraz spędza miło czas w trzecim pokoju, co oznacza, że może i nam uda się ponadrabiać nieco zaległości. Stanęliśmy na końcu korytarza pod klapą. Tym razem ktoś dostawił pod nią drabinkę.

– Spróbujmy – zaproponowałam cicho z obawy, że wywabimy kogoś z pokoju.

José pokiwał tylko głową i bezszelestnie uchylił klapę. Cudownie! Poddasze było puste, no, przynajmniej do tej chwili. Po drodze zwinęłam z kuchni dwie świeczki, które wcisnęłam do dwóch pustych butelek. Mieliśmy światło, mieliśmy wielkie łoże małżeńskie, na którym najwidoczniej Aga położyła świeżo wyprany koc, mieliśmy czas... Dużo czasu tylko dla siebie. Pod poduszką znalazłam poszarpaną na brzegach kartkę, najwidoczniej pospiesznie wydartą z notesu: „Zostawiamy wam strych. My dziś śpimy na plaży. Michał". Kocham tego gościa! Nie mówi wiele, ale jak już coś powie...

– A, przypomniało mi się – wymruczałam spod ramienia José, kiedy zasypialiśmy o świcie.

– Co takiego?

– To, co chciałam ci wtedy powiedzieć.

– Że jesteś mężatką z pięciorgiem dzieci? – Zachichotał, tłumiąc ziewanie.

– Nie. Zakochałam się i jest mi z tym całkiem dobrze.

Zanim José zdążył w jakikolwiek sposób zareagować, zapipczał mój telefon. Te przeklęte komórki, człowiek nigdy się od nich nie uwolni, klęłam w duchu, grzebiąc w kieszeniach porzuconych na podłodze spodni. To był SMS od Ewki:

– CHYBA JEDNAK MAM DOSC FACETOW. NIE SKOCZYLABYS ZE MNA NA KILKUDNIOWA BABSKA WYPRAWE?

Hm, kusząca propozycja, ale chyba przez jakiś czas będę bardzo zajęta.

SPIS TREŚCI

Społeczny Instytut Wydawniczy Znak,
ul. Kościuszki 37, 30-105 Kraków. Wydanie I, 2008.
Druk: Opolgraf S.A., ul. Niedziałkowskiego 8–12, Opole.